Jean-Marie VAN CANGH (éd.)

Avec les études de
Georges ANAWATI, Etienne CORNELIS,
Jesus ESPEJA, Stuart HALL, Jean LADRIERE,
Jean-Louis LEUBA, Elie MELIA, Bo REICKE,
Günther SCHNURR, Jean-Marie VAN CANGH,
Jan-Hendrik WALGRAVE

SALUT UNIVERSEL ET REGARD PLURALISTE

Coll. Relais-Etude
n° 1

DESCLÉE

Colloque de l'Académie internationale
des sciences religieuses
(Madrid, El Pinar, septembre 1984)

Louvain-la-Neuve, le 25 mai 1986
CIACO s.c.

© Desclée, Paris, 1986
D 1986-0002-13
ISBN 2-7189-0303-1
Imprimé en Belgique

LES AUTEURS

Jean-Marie VAN CANGH
Université Catholique, Louvain-la-Neuve
Georges ANAWATI, Le Caire
Etienne CORNELIS, Nimègue
Jesus ESPEJA, Salamanque et Madrid
Stuart HALL, Londres
Jean LADRIERE, Louvain-la-Neuve
Jean-Louis LEUBA, Neuchâtel
Elie MELIA, Paris
Bo REICKE, Bâle
Günther SCHNURR, Heidelberg
Jean-Marie VAN CANGH, Louvain-la-Neuve
Jan-Hendrik WALGRAVE, Leuven

PRÉFACE

Qui, dans notre société planétaire et pluraliste, à l'occasion d'un voyage ou d'une rencontre internationale, ne s'est pas posé, fût-ce une fois, la question: «les chrétiens ont reçu la promesse du salut; mais les autres, qu'en est-il?». En une suite de contributions venant de tous les horizons des sciences humaines, ce livre s'efforce de répondre en profondeur à cette interrogation «ultime». On y trouvera d'abord ce que la Bible nous apprend à ce sujet: les indications non négligeables de l'Ancien Testament (J.-M. van Cangh) et les perspectives plus significatives du Nouveau Testament (Bo Reicke). On y découvrira aussi ce qu'en pensent les représentants des Eglises chrétiennes: les perspectives luthérienne et calviniste (G. Schnurr), le point de vue de la doctrine anglicane (S.G. Hall), les positions riches en espérance que propose la théologie catholique (J.H. Walgrave, J. Espeja). Mieux encore. On apprendra — et ceci est plus neuf sans doute — les considérations qui nous sont présentées par l'Islam à ce propos (G. Anawati), les pensées déployées dans la sagesse du Bouddhisme (E. Cornélis) et jusqu'à l'apport plein d'intérêt d'une philosophie «ouverte» (J. Ladrière). Bref, un éventail assez prestigieux qui se termine par une conclusion en forme de regard synthétique (J.L. Leuba).

Mais voici, à présent, le questionnement existentiel qui a conduit à envisager et aidé à réaliser ce bilan considérable. Tous les problèmes humains sont perçus et étudiés aujourd'hui dans leur dimension internationale, qu'il s'agisse de politique, d'économie, de culture ou de développement. Et les médias nous font connaître jour après jour les aspects concrets que ces problèmes revêtent dans le monde entier. On ne s'étonnera donc pas que se pose à nous, à ce niveau également, une question «ultime». Le salut, au sens chrétien du terme, concerne-t-il l'humanité entière? Dieu veut-il le salut de tous? Que nous apprend à ce sujet la révélation biblique? Que nous disent les Pères et les penseurs chrétiens? Comment les Eglises chrétiennes répondent-elles à ces questions? Qu'envisagent à ce propos les religions du monde? Et la philosophie elle-même n'aurait-elle pas une parole à faire entendre?

Il importe d'abord de nous interroger sur le fait de savoir si l'universalisme du salut est réellement une *donnée* de la pensée chrétienne, et même de la pensée religieuse en général. Il importe aussi d'apprendre ce que les auteurs étudiés disent du *comment* de la réalisation plénière et cosmique de l'œuvre salvifique dont le Dieu-Sauveur, le Dieu-Trinité est la source. Ce faisant, nous sommes amenés également à évoquer en quoi consiste, pour ces témoins et penseurs, le *salut* lui-même, dans sa dimension eschatologique et dans sa configuration terrestre.

Sans exclure la question de savoir si, en stricte théologie, le vocable «salut» peut être utilisé à juste titre pour désigner la santé, la libération socio-politique, la grâce ainsi que la condition céleste des élus, nous envisagerons avant tout ce qu'on pourrait appeler «l'accomplissement plénier et définitif des êtres humains, de l'humanité et du cosmos». Et ce sont les conditions suffisantes et nécessaires à l'obtention de ce salut qui constituent l'enjeu de ces échanges. Ceux-ci, on le constatera, intéressent aussi vivement les aspects planétaires de notre monde que les conditions d'existence dans les ombres de la préhistoire. En effet, comment le salut est-il advenu aux justes païens avant le temps de l'Incarnation? Comment un événement singulier et particulier advenu en Jésus-Christ peut-il prétendre à une nécessité absolue et décisive? Comment tous les êtres humains ont-ils pu avoir connaissance d'une certaine «révélation» et y répondre par un acte personnel qui puisse être appelé un acte de «foi»? Et, par ailleurs, comment parler d'un universalisme «chrétien» dans un univers plus que jamais «pluraliste»?

Comme on le voit, les questions soulevées dans ces travaux sont réellement captivantes et graves à la fois. Les rapports qui y introduisent sont denses, et parfois austères, mais d'une parfaite lisibilité. Ils manifestent aussi pleinement le caractère pluridisciplinaire et pluriconfessionnel de l'Académie. Et ce ne sera pas là le moindre aspect de l'enrichissement doctrinal qu'ils nous offrent.

G. THILS
(Louvain-la-Neuve)

Jean-Marie van CANGH

(Louvain-la-Neuve)

L'UNIVERSALITÉ DU SALUT
DANS L'ANCIEN TESTAMENT

Une première remarque s'impose. Le thème abordé occupe nécessairement une place marginale dans l'Ancien Testament, puisque l'idée dominante en est celle de la promesse et de l'Alliance de Dieu avec Israël, peuple choisi parmi tous les autres peuples. A première vue donc, le thème central de l'Ancien Testament semble diamétralement opposé à l'universalité du salut, puisqu'il développe avec mille nuances le thème de l'élection d'Israël, peuple choisi par Dieu de préférence à tous les autres pour être sa part d'héritage, sa *segullâh* (*Ex* 19,5), mot qu'on pourrait traduire par son bien propre, son trésor, sa chasse gardée.

Et pourtant, nous verrons dans un premier texte, celui de la bénédiction à Abraham (*Gen* 12,1-3) que l'idée d'élection ne s'oppose pas nécessairement à celle d'universalité. Nous poursuivrons ensuite notre thème dans le *corpus* isaïen qui couvre près de quatre siècles d'histoire biblique. Nous terminerons par deux textes particuliers du Deutéronome qui admettent un certain pluralisme des religions et par un texte du livre de la Sagesse, proche de l'époque du Nouveau Testament, qui parle de la connaissance naturelle de Dieu.

1. LA PROMESSE A ABRAHAM (*Gen* 12,1-3)

Nous étudierons d'abord un texte ancien, généralement attribué à la tradition Jahwiste (= J)(¹), même si certains commentateurs y reconnaissent également la main du rédacteur Jéhowiste (= RJE)(²). Voici le texte de *Gen* 12,1-3 :

« 1 Yahvé dit à Abram : Va t'en de ton pays, de ta parenté et de la maison de ton père, vers le pays que je te montrerai.

2 Je ferai de toi une grande nation ; je te bénirai et je rendrai grand ton nom ; sois une bénédiction !

3 Je bénirai ceux qui te béniront,
et qui t'outragera, je le maudirai.
En toi seront bénies toutes les familles de la terre ».

En plus d'une introduction généalogique (*Gen* 11,27-32)(³) qui présente la parenté d'Abraham et sa transhumance d'Our des Chaldéens vers Harran, l'histoire des Patriarches (*Gen* 12-50) contient une introduction théologique (*Gen* 12,1-4a) qui relie l'histoire des origines à l'histoire du peuple. Cette seconde introduction est l'histoire d'une bénédiction (*Gen* 12,2-3) insérée dans l'histoire d'un itinéraire comme le montre *Gen* 12,1 et 4a (« quitte ton pays vers le pays que je te montrerai... Abraham partit donc...), — itinéraire qui continue pour J (en *Gen* 12,5b à 9) vers Sichem et Béthel.

Dans l'état actuel du texte, cette deuxième introduction relie l'histoire des Patriarches (*Gen* 12-50) à l'histoire des origines (*Gen* 1-11 ; cf. *Gen* 12,3b : « en toi seront bénies toutes les familles de la terre ») et à l'histoire future du peuple d'Israël (*Gen* 12,2a : « je ferai de toi un grand peuple »). Tout le poids du texte porte sur les versets 2 et 3, avec un

---

(1) Voir, par exemple, C. Westermann, *Genesis*, BK I/2, Neukirchen-Vluyn, 1977, pp. 152-153 ; 159-160 ; et l'abondante bibliographie.

(2) P. Weimar, *Untersuchungen zur Redaktionsgeschichte des Pentateuch*, BZAW 146 Berlin, New York, pp. 44-51, attribue à J : *Gen* 12, 1aαb. 2aαβ. 3b, — ce qui donne le texte suivant : « Yahvé dit à Abram : Va t'en de ton pays pour le pays que je te montrerai. Je ferai de toi une grande nation et je te bénirai. En toi seront bénies toutes les familles de la terre ».

(3) On divise généralement *Gen* 11,27-32 comme suit : les vv. 27.31-32 sont attribués à la tradition sacerdotale (= P), tandis que les vv. 28-30 sont attribués à J, avec une addition du rédacteur final au v. 28b (« Our des Chaldéens ») reprise au v. 31 (= P) pour harmoniser les deux traditions. La plupart des auteurs actuels pensent qu'Abraham était originaire de Harran en Mésopotamie du Nord à la frontière syro-turque.

remarquable *crescendo* du v. 2 (promesse de bénédiction à Abraham) au v. 3a (effet de la bénédiction sur ceux qui entrent en contact avec Abraham) et au v. 3b (son effet sur toute l'humanité)[4].

La structure caractéristique de *Gen* 12,1-4a (ordre divin de quitter le pays ou d'y rester (cf. *Gen* 16,1), promesse, accomplissement de l'ordre reçu) est une structure qui se retrouve ailleurs dans l'histoire des Patriarches (pour Isaac en *Gen* 26,1-3; pour Jacob en *Gen* 46,1-5a). Même si R[JE] est intervenu dans la formulation de la promesse (*Gen* 12,2-3), la structure générale du texte (le Patriarche d'un groupe nomade reçoit une consigne du Dieu du père, cette consigne s'accompagne d'une promesse, le Patriarche exécute l'ordre divin) peut très bien remonter à J[5].

Ce départ d'Abraham depuis Harran n'est pas à comprendre d'abord comme l'arrachement à un milieu de vie et à une patrie déjà fixée. Il s'agit plutôt de la situation de nécessité d'un groupe nomade dans

---

(4) C. Westermann, *op. cit.*, p. 166-168.

(5) C. Westermann, *op. cit.*, p. 169, pense même que cette structure pourrait remonter jusqu'au temps des Patriarches. A l'opposé, H.H. Schmid, *Der sogenannte Jahwist. Beobachtungen und Fragen zur Pentateuchforschung*, Zurich, 1976, pense que les promesses faites aux Patriarches d'une descendance, d'une bénédiction et d'une terre datent de l'époque post-exilique et appartiennent à une source (J ?) proche de la tradition deutéronomiste (*op. cit.*, pp. 119-153). Son argumentation est basée essentiellement sur un présupposé théologique (*op. cit.*, pp. 143-144) : ces promesses n'ont pas donné lieu à discussion pour autant qu'elles sont accordées de fait. Mais au temps de l'exil, «lorsqu'elles sont en crise et ne sont plus immédiatement vérifiables dans la réalité contemporaine», Israël est obligé de s'y accrocher sous la forme d'une promesse qui reste toujours valable. Pourquoi ces promesses ne seraient-elles pas parfaitement *in situ* à l'époque monarchique? Ne parle-t-on bien que de ce qu'on n'a plus? Déjà à l'époque de David-Salomon, on trouve la promesse de la stabilité de la dynastie (*II Sam* 7, 11b.16: «Yahvé t'a annoncé que Yahvé te ferait une maison. Ta maison et ta royauté dureront à jamais devant moi, ton trône sera stable à jamais») et la promesse de la stabilité de la terre (*II Sam* 7,10: «Je fixerai un lieu à mon peuple, à Israël, je l'y planterai et il restera sur place»), — et cela précisément à une époque où se posaient déjà de sérieux problèmes concernant la réalisation concrète de ces deux promesses. Qu'on pense simplement au problème de la succession de David : l'assassinat d'Amnon, l'aîné de David (*II Sam* 13,23-38); la révolte et la mort d'Absalom (*II Sam* 18,9-32); les menées d'Adonias (*I R* 1,5-10); les intrigues de Nathan et Bethsabée (*I R* 1,11-27); le meurtre d'Adonias sur l'ordre de Salomon (*I R* 2,13-25); la mise à l'écart du prêtre Ebyatar et le meurtre de Joab, le généralissime (*I R* 2,26-35). Voir les articles de F. Langlamet, *David et la maison de Saül*, dans RB, 86, 1979, pp. 194-213; 385-436; 481-513; RB, 87, 1980, pp. 161-210; RB, 88, 1981, pp. 320-332; *ID.*, *David, fils de Jessé. Une édition prédeutéronomiste de l'Histoire de la succession*, dans RB, 89, 1982, pp. 5-47. Il en va de même pour la défense de la terre, qui a été le centre du conflit entre Saül et David, avec la disparition de Benjamin au profit de Juda; la lutte incessante contre les Cananéens et les Philistins. L'archéologie du Fer I (1200-1000) et Fer II (1000-587) nous prouve que durant toute la période de la monarchie (de 1020 à 587) le pays a été occupé en grande partie par les Cananéens, les Philistins et, au Nord, par les Phéniciens.

lequel Dieu intervient de manière salutaire. Ce n'est qu'au niveau du Rédacteur JE, qui s'adresse à des gens depuis longtemps sédentarisés, que la consigne donnée à Abraham est ressentie comme un arrachement à toutes ses attaches : pays, race, famille.

Les deux expressions apposées («ta parenté et la maison de ton père») à «ton pays» en *Gen* 12,1, peuvent être attribuées au Rédacteur Jéhowiste[6]. Ces deux précisions viennent briser l'effet de contraste produit par «quitte ton pays... vers le pays». D'une part, l'expression «ta parenté» (*ûmimmôladteka*) de *Gen* 12,1 renvoie à 11,28 «au pays de ta parenté» (*beʾèrèṣ môladtô*). D'autre part, l'expression *ʾèrèṣ molèdèt* («pays natal») qui n'apparaît que dans des textes plus récents, couplée avec celle de «la maison de ton père» ou «le pays de ton père» (cf. *Gen* 31,3) a pour but d'unifier les trois cycles d'Abraham, d'Isaac et de Jacob.

Dans le texte actuel, la bénédiction («et je te bénirai», *Gen* 12,2aβ) contrairement à son sens habituel qui est ponctuel (*Gen* 27) devient promesse pour le futur : elle fera d'Abraham un grand peuple (*Gen* 12,2aα). L'emploi de *goy* (au lieu de *ʾam*) a d'ailleurs un sens politique et vise le peuple constitué au temps de la monarchie de David et Salomon[7].

La précision suivante du verset 2ab «je rendrai grand ton nom» (*wa ʾagaddelâ šmèka*) peut faire partie du texte primitif de J (C. Westermann) et peut être interprétée dans la même ligne que la grandeur du peuple sous son roi davidide (*II Sam* 7,9b : «je te donnerai un grand nòm comme le nom des plus grands de la terre»). Nous aurions ainsi une relation entre l'histoire des patriarches et l'histoire subséquente du peuple sous David. Mais on peut aussi considérer cette promesse divine comme une inclusion de contraste avec la volonté orgueilleuse des hommes exprimée dans l'épisode de Babel (*Gen* 11,4 : «Faisons-nous un nom»)[8]. Yahvé confond les langues des hommes (*Gen* 11,9a) qui veulent se faire un nom (v.4) en

---

(6)   P. Weimar, *op. cit.*, p. 45, note 128, qui a mis en évidence l'effet de liaison de ces deux expressions entre les différents cycles patriarcaux. Comparer l'histoire d'Abraham (*Gen* 11,28 et 12,1) avec celle d'Isaac (*Gen* 24,4 et 7) et avec celle de Jacob (*Gen* 31,3 et 13 et 32,10).

(7)   C. Westermann, *op. cit.*, p. 173.

(8)   L'épisode de Babel (*Gen* 11,1-9) aurait été composé avec trois autres récits étiologiques (*Gen* 4,1-12 ; 6,1-4 ; 9,20-25) à la fin de la période ézéchienne (fin du 8e siècle), d'après P. Weimar, *op. cit.*, p. 46, note 130 et pp. 158-161. On peut hésiter toutefois sur les datations des récits étiologiques «dont la composition rappelle étrangement J», d'après F. Langlamet, RB, LXXXVIII, 1981, pp. 402-415 ; citation p. 414, note 6.

bâtissant une ville (v.7)(⁹). Dans cet épisode se mêlent deux thèmes : celui de la *ville* et de la confusion des langues, d'une part, et celui de la *tour* et de la dispersion, d'autre part(¹⁰). Dans l'hypothèse de Weimar, le récit de la *ville* et de la confusion des langues serait l'œuvre d'un milieu de sages opposés à la politique d'Ezéchias et qui centrent leurs récits autour du thème de la foi en Yahvé et de l'antithèse « vie-mort ». Ils utilisent volontiers des matériaux mythiques et un langage archaïsant(¹¹). Le récit de la *tour* et de la dispersion de l'humanité, par contre, pourrait être attribué au Rédacteur Jéhowiste qui réunit l'histoire JE et les récits étiologiques, sans utiliser le style polémique, puisqu'il est d'accord avec la réforme religieuse d'Ezéchias(¹²).

Si l'on admet cette hypothèse, *Gen* 12,2b (« Sois une bénédiction ! ») formerait une inclusion de contraste avec la deuxième finale du récit de Babel (*Gen* 11,9b : « Yahvé les dispersa à la surface de toute la terre »), — contraste non plus littéral, cette fois, mais symbolique. Dans la structure actuelle du texte : « Sois une bénédiction ! » est en relation étroite avec « je te bénirai » (*Gen* 12,2aβ). La bénédiction à Abraham produit un double effet : sur le Patriarche lui-même et sur son entourage, avec une extension remarquable à l'histoire de son peuple.

La formule en chiasme de *Gen* 12,3a (« Je bénirai ceux qui te béniront, et qui t'outragera je le maudirai ») est en progrès par rapport à celle du verset précédent. La bénédiction divine, après avoir produit une extension de la gloire et du nom du Patriarche, doit garantir, à présent, sa protection. Le comportement des autres vis-à-vis d'Abraham détermine le comportement de Dieu vis-à-vis de ceux-ci. Suivant la manière dont on agira envers Abraham, on recevra bénédiction ou malédiction de la part de Dieu(¹³). Avant la formulation chiastique de la phrase, il est probable

---

(9)   Babel qui signifie littéralement « la porte de Dieu » est interprété ici d'après le verbe *bâlal* (brouiller, confondre ; *Gen* 11,9a : « C'est là que Yahvé brouilla le language de toute la terre »).

(10) E. Osty, *La Bible*, Le Seuil, Paris, 1973, p. 56 : « Les hommes veulent bâtir une *ville* pour se faire un nom, mais Yahvé fait cesser l'entreprise en confondant les langues ; les hommes veulent édifier une *tour* dont le sommet, élevé jusqu'aux cieux, les préserve de la dispersion, mais Yahvé les disperse à la surface de toute la terre ».

(11) P. Weimar, *op. cit.*, p. 160, reconstitue le récit primitif de *Gen* 11, 1-9.

(12) F. Langlamet, Recension de P. Weimar in RB, 1981, pp. 407-408.

(13) On songe ici à une formulation parallèle du Nouveau Testament : « Celui qui se déclarera pour moi devant les hommes, le Fils de l'homme se déclarera pour lui devant les anges de Dieu », *Lc* 12,8-9. Le jugement de Dieu sur nous dépend de notre comportement vis-à-vis du Fils de l'homme terrestre. Voir J.M. van Cangh, *Le Fils de l'homme dans la tradition synoptique*, dans RTL, I, 1970, pp. 411-419.

qu'il ait existé une formulation parallèle plus simple qu'on retrouve en *Nb* 24,9b («Béni soit qui te bénira, maudit soit qui te maudira!») et en *Gen* 27,29b («Maudit soit qui te maudira, béni soit qui te bénira!»). Cette formulation impersonnelle s'enracine dans la pensée magique, où les paroles de bénédiction et de malédiction sont efficaces du seul fait d'avoir été prononcées. Dans le texte actuel, la tradition J([14]) ou le rédacteur Jého-wiste([15]) transforme cette bénédiction impersonnelle en une promesse divine personnalisée.

D'après P. Weimar([16]), il faut rapprocher *Gen* 12,3a de l'histoire étiologique de l'ivresse de Noé et en particulier de *Gen* 9,25a: «Maudit soit Canaan!» et 9,26a: «Béni soit Yahvé, le Dieu de Sem!», où l'on retrouve les mêmes racines *'ârar* et *bârak*. Dans ce cas, le rédacteur Jého-wiste établirait une relation de type chiastique entre deux récits étiologi-ques de l'histoire des origines (Babel, en *Gen* 11,4: «Faisons-nous un nom!», d'une part, et l'ivresse de Noé, en *Gen* 9,25-26, d'autre part) et le récit de la promesse à Abraham (*Gen* 12,2ab: «je rendrai grand ton nom» et *Gen* 12,3a que nous venons d'étudier).

Nous arrivons, enfin, à *Gen* 12,3b: «En toi seront bénies toutes les familles de la terre», qui constitue un des sommets de la pensée du Jah-wiste. La portée universaliste de ce verset ne fait aucun doute, quelle que soit, par ailleurs, la traduction que l'on adopte pour le nifal de *bârak*: *nibreku*.

Si l'on admet avec P. Weimar que l'ordre primitif a été conservé par le passage parallèle de *Gen* 18,18 («Abraham va devenir une nation grande et puissante. En lui seront bénies toutes les nations de la terre»), on retrouverait la même structure dans la partie ancienne du texte de *Gen* 12,1-3, c'est-à-dire 12,3b faisant suite immédiatement à 12,2aαβ («Je ferai de toi une grande nation et je te bénirai. En toi seront bénies toutes les familles de la terre»).

Trois traductions ont été proposées pour *nibreku*:
1. *le sens passif:* «en toi seront bénies toutes les familles de la terre». Telle est la traduction adoptée par le texte grec de *Sir* 44,21, par la LXX et par le Nouveau Testament (*eneulogèthèsontai, Gal* 3,8 et *Ac* 3,25). C'est aussi la traduction de E. Dhorme dans La Bible de

(14) C. Westermann, *op. cit.*, p. 175.
(15) P. Weimar, *op. cit.*, p. 46, note 130.
(16) P. Weimar, *op. cit.*, p. 46, note 30; pp. 147-148 et 159-160.

la Pléiade, Paris, 1956, p. 38 et de la TOB, 1975, p. 62. Notons que le nifal de *bârak* se retrouve en *Gen* 18,18 et 28,14.

2. *le sens réciproque:* «Par toi se béniront tous les clans de la terre». Traduction et commentaire de R. de Vaux, dans la Bible de Jérusalem, 1973, p. 42: «Les clans se diront l'un à l'autre: Béni sois-tu comme Abraham!». Voir aussi E. Osty, La Bible, 1973, p. 58: «Que Yahvé te rende tel qu'Abraham!». Cette traduction correspondrait au sens de l'*hitpael* de *bârak* qu'on retrouve en *Gen* 22,18 et 26,4.

3. *le sens de la voix moyenne du grec:* «C'est en toi qu'acquerront la bénédiction toutes les familles de la terre». Traduction proposée par R. Martin-Achard[17] et P.E. Dion[18].

D'après le premier sens, qui est aussi celui du Nouveau Testament, à travers Abraham, c'est l'ensemble des peuples qui devient l'objet de la bénédiction divine. Si l'on prend le second sens, ceux qui verront les effets de la bénédiction d'Abraham désireront être comme le Patriarche et participer aussi à sa bénédiction. Dans le troisième sens, proche du second, les familles de la terre acquièrent la bénédiction de Dieu, en bénissant Abraham. De toute façon, quelle que soit la traduction retenue, la bénédiction de la terre est mise en relation avec la bénédiction d'Abraham. En d'autres mots, le salut passe par Abraham en vertu de la promesse inconditionnelle de Dieu (et non pas en vertu d'un contrat ou d'une alliance bilatérale). Abraham marque à la fois une fin et un commencement: la fin de l'histoire des origines (*Gen* 1 à 11) et en particulier de la dispersion de Babel, et le début d'une nouvelle histoire, celle de la rédemption du monde. Puisque la bénédiction d'Abraham rejaillit sur l'ensemble des familles de la terre, son élection est en étroite liaison avec le salut et le bonheur de l'humanité tout entière.

---

(17) R. Martin-Achard, *Israël, peuple sacerdotal*, dans *Verbum Caro*, n° 71-72, 1964, pp. 19-20.

(18) P.E. Dion, *Dieu universel et peuple élu*, LD 83, Le Cerf, Paris, 1975, p. 34.

2. LE CORPUS İSAÏEN

A. La montée des peuples à la montagne du Temple (*Is* 2,2-5)

La prophétie d'Isaïe sur le rassemblement des peuples à Sion a son parallèle quasi littéral en *Michée* 4,1-4. Ce texte a donné lieu à toutes les attributions possibles et imaginables, depuis l'authenticité isaïenne jusqu'à une date post-exilique, en passant par l'authenticité michéenne ou par une source commune aux deux prophètes (que certains identifient avec *Joël* 4,10), ou encore, pour un disciple d'Isaïe antérieur à l'exil. C'est cette dernière solution qui paraît la plus vraisemblable pour l'état actuel du texte, — ce qui n'empêche pas qu'une première mouture pourrait bien remonter à Isaïe lui-même.

2 « Il adviendra, dans la suite des jours,
que la montagne de la Maison de Yahvé sera située au sommet des monts,
elle s'élèvera au-dessus des collines.
Toutes les nations y afflueront.

3 Des peuples nombreux s'y rendront et diront :
Venez, montons à la montagne de Yahvé,
à la Maison du Dieu de Jacob,
qu'Il nous enseigne ses voies
et que nous marchions sur ses chemins.
Car de Sion provient la Torah
et de Jérusalem la parole de Yahvé.

4 Il jugera entre les nations
et sera l'arbitre des peuples nombreux.
Ils martèleront leurs épées pour en faire des socs
et leurs lances pour en faire des faucilles.
Une nation ne lèvera plus l'épée contre une autre,
et ils n'apprendront plus la guerre.

5 Maison de Jacob, venez,
marchons à la lumière de Yahvé ».

L'analyse du vocabulaire permet de constater des rapprochements significatifs avec les Psaumes de Sion (entre autre les Psaumes

46,48,76,87 et 93) où l'on trouve une thématique commune [19]. La montagne de Sion, établie au centre de la terre, résiste victorieusement contre l'assaut des forces du mal coalisées, grâce à la présence de la gloire divine. On sait, par ailleurs, que la croyance populaire à l'inviolabilité de Sion a été renforcée par le mystérieux départ des troupes de Sennachérib qui assiégeaient Jérusalem en 701. Les prophètes du temps comme Isaïe et Jérémie (cf. *Jér* 7,1-15; 26,1-24) auront à lutter contre une soi-disant garantie automatique accordée à la Ville sainte. Après l'exil, on identifiera les nations païennes coalisées contre Jérusalem au groupe des Juifs impies qui écrasent le petit reste des justes et des fidèles de la Torah. Dans notre texte, on remarque cependant une différence importante: l'afflux des peuples vers Sion n'a rien de belliqueux; ils convergent vers la montagne du Temple pour recevoir les instructions de Yahvé. « Le contexte historique le plus probable de cette relecture cultuelle et pacifique est la période monarchique, et plus précisément l'époque des derniers rois de Juda. Le règne de Josias, suggéré par la centralisation du culte, conviendrait particulièrement » [20].

Si l'on admet le rapprochement entre l'expression « la maison de Jacob » aux versets 5 et 6 et l'ancienneté de ces versets, on pourrait même supposer une première mouture de notre texte à une époque plus ancienne, lorsque « la maison de Jacob » désignait l'Israël du Nord, uni au Sud, qui cherchait à conquérir Jérusalem. En 735, en effet, Samarie avec l'aide de Damas, de Tyr et des Philistins veut obliger Jérusalem à entrer dans la coalition contre l'Assyrie. Le prophète s'adresserait ici aux tribus du Nord pour leur enjoindre de se soumettre aux enseignements de Yahvé à Sion au lieu de se coaliser avec les nations étrangères.

Les « peuples nombreux » (*'ammîm rabbîm*) désigneraient alors les alliés de Samarie invités à se rendre en pèlerinage à Jérusalem. Ce n'est que lors d'une seconde édition que l'oracle d'*Is* 2,2-5 (comme celui d'*Is* 2,6-22) aurait visé également Juda et Jérusalem sous le nom commun de « maison de Jacob » et que l'expression « les peuples nombreux » aurait été appliquée aux peuples païens [21].

---

(19)   J. Vermeylen, *Du prophète Isaïe à l'apocalyptique*, Gabalda, Paris, 1977, p. 121-133. L'A. note également certains rapprochements avec les poèmes d'*Is* 9,1-6 et 11,1-5 qui visent sans doute le règne glorieux de Josias présenté comme le nouveau David (*op. cit.*, p. 132).

(20)   J. Vermeylen, *op. cit.*, p. 128.

(21)   H. Cazelles, *Qui aurait visé, à l'origine, Isaïe II, 2-5?*, dans VT, 30, 1980, pp. 409-420.

Le sens du texte est clair. Les nations viennent en pèlerinage à la montagne sainte, — vieille tradition d'origine cananéenne concernant la haute montagne, séjour des dieux, qu'on localisait dans le septentrion (cf. *Is* 14,3 et *Ps* 48,3). L'expression «le Dieu de Jacob» souligne la légitimité du sanctuaire commun des tribus à Jérusalem. La nouveauté de ce pèlerinage consiste dans l'absence totale d'offrandes des fidèles. On ne trouve pas ici un but cultuel (cf. *Is* 18,7) ou l'accomplissement d'un vœu (cf. *Ps* 76,12); on vient à Sion pour se soumettre à l'arbitrage de Yahvé et y recevoir son enseignement. Cet arbitrage de Yahvé auquel se soumettront les peuples aura pour effet de faire cesser la guerre entre les nations (contrairement aux oracles contre les nations chez Amos)[22].

B. «Vous serez sauvés, tous les confins de la terre» (*Is* 45,22)

22 «Tournez-vous vers moi et vous serez sauvés, vous, tous les confins de la terre; car c'est moi qui suis Dieu et il n'en est point d'autre[23]...

23b Devant moi tout genou fléchira, et par moi toute langue jurera en disant:

24a A Yahvé seul la justice et la force»

Cet oracle s'adresse à «tous les confins de la terre» (v. 22) ou plutôt à tous «les rescapés des nations» (v. 20), c'est-à-dire à tous ceux qui auront survécu aux massacres de l'exil et de la conquête perse. Ils sont invités à entendre l'appel de Yahvé (v. 22), à affirmer sa puissance et sa divinité (v. 23) et à reconnaître sa vraie nature, c'est-à-dire qu'Il est le seul Dieu, juste et sauveur (v. 21b-22).

Cet oracle est à rapprocher de la formule classique de l'*Erweiswort* («afin que vous sachiez que je suis Yahvé»). On la trouve déjà chez J dans les plaies d'Egypte (*Ex* 8,6; 9,14.16.29), mais on la rencontre surtout chez Ezéchiel avec des applications multiples: aux arbres des champs (*Ez* 17,22-24), à Israël idolâtre (*Ez* 6,7), à Israël en exil à Babylone (*Ez* 12, 15-16; 15,7), et aussi aux nations païennes (*Ez* 29,6; 36,23.36; 37,28; 38,16; 39,7). Mais le but de ce témoignage que Yahvé se rend à lui-même

---

(22) M. Delcor, *Sion, centre universel: Is* 2,1-5,, dans *Assemblées du Seigneur*, 5, 1969, pp. 6-11; repris dans *Etudes bibliques et orientales de religions comparées*, Leiden, 1979, pp. 92-97.

(23) Selon E. Osty, *op. cit.*, p. 1616, nous serions ici en présence du «verset le plus universaliste de tout l'Ancien Testament».

devant les nations est de leur faire comprendre que ce n'est point par faiblesse qu'Il leur a permis d'écraser son peuple, mais pour le punir de ses fautes et manifester ainsi sa justice (voir, par exemple, *Ez* 39,21-23 et les nombreux parallèles). Ezéchiel utilise l'*Erweiswort* non pas dans le but de provoquer la conversion des nations au Dieu unique, mais comme autojustification de Yahvé aussi bien dans son châtiment que dans sa restauration d'Israël.

Le texte d'*Is* 45,18-25 va beaucoup plus loin. Il affirme nettement qu'il n'y a pas d'autre Dieu en-dehors de Yahvé et qu'en conséquence il n'y a pas de salut en-dehors de Lui (v. 22). La racine *yš'* revient non seulement au v. 22, mais aussi à la fin du v. 21: «Un Dieu juste et sauveur, il n'en est pas, excepté moi!». On dépasse ici l'universalisme de la promesse à Abraham qui promettait la bénédiction à «toutes les familles du sol» par l'intermédiaire du Patriarche. Ici, l'humanité entière est appelée à plus qu'à une bénédiction médiatisée; elle est appelée à une relation libre et réciproque avec le Dieu qui donne «la justice et la force» (v. 24a). «Le prophète est donc persuadé que tôt ou tard, d'une façon ou d'une autre, le salut décrété par son Dieu s'étendra à tous les hommes; et pourtant, cette décision unilatérale ne se réalisera que moyennant un appel (v. 22a) à la liberté des hommes et livré aux obscurs cheminements de leur destin»[24].

C. Les chants du Serviteur de Yahvé

Les commentateurs récents proposent des solutions très divergentes concernant leur authenticité, leur délimitation et surtout l'identification du serviteur. P. Grelot considère les quatre poèmes comme provenant de la même source, mais avec un développement dans la situation personnelle du serviteur[25]. On passe d'une période sans ombre (*Is* 42,1-7) à une atmosphère troublée (49,1-6 + 7), puis à une situation dégradée par les ennemis (50,4-9 + 10-11) et enfin à la destinée tragique évoquée au passé (52,13 — 53,12). L'identification du serviteur proposée par P. Grelot est

---

(24)   P.E. Dion, *L'universalisme religieux dans les différentes couches rédactionnelles d'Isaïe 40-55*, dans *Biblica*, 51, 1970, pp. 161-182 (citation p. 169).

(25)   P. Grelot, *Les poèmes du Serviteur. De la lecture critique à l'herméneutique*, LD 103, Le Cerf, Paris, 1981, p. 26.

le personnage de Zorobabel (fils de Shealtiel, lui-même fils aîné de Yôya-kin) ou celui de Sheshbaççar (quatrième fils de Yôyakin)[26].

Mgr J. Coppens identifie pour sa part le serviteur aux « exilés babylo-niens régénérés par les épreuves de captivité»[27].

Selon P.E. Bonnard[28], les quatre chants occupent bien la place (à quelques modifications près) que leur assignent nos Bibles modernes (*Is* 42,1-7; 49,1-9; 50,4-9; 52,13-53,12) sans qu'il soit possible de les délimi-ter exactement ni de les distinguer de leur contexte immédiat, parce que le vocabulaire employé est celui qu'on retrouve dans tout le reste du Deutéro-Isaïe. La question d'authenticité ne poserait donc pas de gros problèmes. Il en va tout autrement de l'identification du serviteur, diffé-rente dans chaque cas : le premier chant viserait Cyrus dans le texte hébreu et Israël dans son ensemble dans le texte de la LXX (*Is* 42,1 LXX : «Mon serviteur Jacob, ... mon élu, Israël»); le deuxième et le quatrième chant viseraient Israël en son élite, en son reste fidèle ; le troisième chant viserait le prophète lui-même en butte à la persécution.

P.E. Dion[29] présente une solution très élaborée qui pourrait se résumer par les quatre propositions suivantes :

1. Les oracles de la strate fondamentale d'*Is* 40-55 proclament nette-ment que «les survivants des nations» (*Is* 45,20) venus de tous les confins de la terre (v. 22) trouveront le salut à Jérusalem reconstruite et glorieuse.

2. Les trois premiers chants du serviteur, qui ont les limites suivantes : *Is* 42,1-4; 49,1-6; 50,4-9a, vont encore plus loin. Le serviteur qui a de la peine à se faire entendre auprès des exilés d'Israël à Babylone se reconnaît une mission universelle : faire connaître la loi de Yahvé aux extrémités du monde et porter le salut aux nations.

3. Un disciple identifié au Trito-Isaïe[30], compose le quatrième chant, de tendance moins universaliste que les deux premiers chants, et affirme que le serviteur sera exalté par Yahvé devant les païens

(26) *Ibid.*, pp. 68-71.

(27) J. Coppens, *Le messianisme et sa relève prophétique. Les anticipations prophétiques, leur accom-plissement en Jésus*, Gembloux, 1974, p. 79.

(28) P.E. Bonnard, *Le second Isaïe, son disciple et leurs éditeurs. Isaïe 40-66*, Etudes Bibliques, Gabalda, Paris, 1972, pp. 37-45 et le commentaire *ad locum*.

(29) P.E. Dion, *Les chants du Serviteur de Yahweh et quelques passages apparentés d'Is* 40-55, dans *Biblica*, 51, 1970, pp. 17-38.

(30) P.E. Dion, *Dieu universel et peuple élu*, LD 83, Paris, 1975, p. 92.

(*Is* 52,15 et 53,1). La partie centrale (*Is* 53,2-10) serait l'œuvre de compatriotes repentants, de Juifs d'abord opposés au serviteur et devenus ensuite ses disciples.

4. Le même Trito-Isaïe (ou un disciple de la même époque) est responsable des additions aux trois premiers chants (*Is* 42,5-9; 49,7.8-11.12 et 50,10-11) dont les deux premières sont des oracles deutéro-isaïens légèrement retouchés dans un sens moins universaliste. La mission du serviteur y semble destinée avant tout à Israël et à l'alliance nouvelle à conclure avec lui après la libération de la *gôlâh* babylonienne.

Ceci nous amène à une remarque importante. Le rôle des nations est subordonné à celui d'Israël, et cela même dans les grands oracles universalistes du Trito-Isaïe (cf. chapitres 60 et 61). Qu'on relise, par exemple, *Is* 60,1.3-4: «Debout! Resplendis! car voici ta lumière, et sur toi se lève la gloire de Yahvé... Les nations marcheront à ta lumière et les rois à ta clarté naissante. Lève les yeux aux alentours et regarde: tous sont rassemblés, ils viennent à toi», ou encore, *Is* 61,1-2: «L'Esprit du Seigneur est sur moi... il m'a envoyé porter la bonne nouvelle aux pauvres... consoler tous les affligés». Mais les versets qui leur font suite immédiatement sont éloquents. Ils mettent en évidence le rôle réel des nations:
— ramener les exilés juifs vers Sion (*Is* 60,4b.9a: «Oui, des navires s'assemblent pour moi, vaisseaux de Tarsis à leur tête, pour amener tes fils de loin»).
— apporter leurs propres richesses à Sion (*Is* 60,5.7.9.11.16-17: «Tu suceras le lait des nations, tu suceras la mamelle des rois»; *Is* 61,6b: «Vous vous nourrirez des richesses des nations»).
— être les esclaves des Israélites dans la reconstruction de la Ville Sainte (*Is* 60,10: «Les fils de l'étranger bâtiront tes remparts, leurs rois te serviront»; *Is* 61,5: «Des gens venus d'ailleurs seront là pour paître vos troupeaux, des fils de l'étranger seront vos laboureurs et vos vignerons»).

Cette tendance à la subordination des nations est également présente dans le Deutéro-Isaïe. Les richesses de l'Egypte, le commerce de Koush (Ethiopie) et les hommes de Séba (sur le Nil bleu et le Nil blanc) seront amenés enchaînés à Jérusalem et reconnaîtront qu'il n'est pas d'autre Dieu que Yahvé (*Is* 43,3 et 45,14). Les autres nations «ramèneront tes fils sur leur sein et tes filles seront portées sur les épaules. Des rois seront tes nourriciers et leurs princesses tes nourrices. Le visage contre terre ils se prosterneront devant toi et lècheront la poussière de tes pieds» (*Is* 49,22-23). On peut donc conclure que pour le second comme pour le troisième Isaïe les nations païennes remplissent le triple rôle de convoyeurs, de pourvoyeurs de richesses et d'esclaves des Israélites. On est loin de l'afflux enthousiaste et sans contrainte des peuples vers la Sion dispensatrice d'oracles (*Is* 2,2-5).

Comment concilier la tendance universaliste des Deutéro et Trito-Isaïe avec leur tendance à la subordination des nations? Faut-il les attribuer au même rédacteur? ou plutôt à la communauté du «Reste» fidèle et des «pauvres de Yahvé» qui prédit son propre rétablissement en identifiant les Juifs impies aux nations païennes?

Quoi qu'il en soit, on ne peut pas nier que les chants du Serviteur constituent un des sommets de l'universalisme de l'Ancien Testament. C'est le relèvement miraculeux d'Israël qui attire l'attention des nations et les amène à la reconnaissance du Dieu unique: *Is* 42,6b «Je t'ai formé et je t'ai destiné à être l'alliance du peuple, à être la lumière des nations» et *Is* 49,6: «C'est trop peu que tu sois mon serviteur pour relever les tribus de Jacob et ramener les survivants d'Israël. Je ferai de toi la lumière des nations pour que mon salut atteigne aux extrémités de la terre». Les chants du Serviteur sont les premiers à témoigner d'un universalisme religieux qui réclame la conversion de tous les peuples au Dieu unique[31]. Il ne faut pas comprendre cette conversion comme la conséquence d'une mission d'évangélisation du Serviteur-Israël auprès des païens, mais «l'humanité, en apprenant le bouleversement intervenu dans la destinée d'Israël, découvrira la grandeur de son Dieu; mis en présence de l'œuvre de Yahvé, les païens, subjugués, lui rendront la gloire qui lui est due. L'ultime conséquence de la reconstitution d'Israël est le rencontre de Yahvé et des nations... L'élu n'a pas à faire de la propagande pour gagner l'humanité à son Dieu, il lui suffit de témoigner, par son existence même, de la grandeur de Yahvé. C'est en accordant la vie à son peuple que le Dieu d'Israël en fait la lumière du monde»[32].

---

(31) P.E. Dion, *Dieu universel et peuple élu, op. cit.*, p. 84.

(32) R. Martin-Achard, *Israël et les nations. La perspective missionnaire de l'Ancien Testament*, Cahiers théologiques 42, Neuchâtel, 1959, p. 29.

D. Un festin pour tous les peuples (*Is* 25,6-8)

Ce petit poème décrit le festin eschatologique qui réunira tous les peuples sur la montagne de Sion. Yahvé les consolera de toute tristesse et les préservera de la mort. Les nations semblent mises ici sur le même pied qu'Israël, sans fusion et sans subordination au peuple élu[33]. Ce poème qui date probablement de l'époque hellénistique[34], évoque le festin messianique qui sera souvent mentionné dans le Nouveau Testament (*Mt* 8,11; 22,2-10; 26,29; *Lc* 14,15-24; *Apoc* 3,20; 19,9).

En voici le texte:

6 «Le Seigneur, le tout-puissant, va donner sur cette montagne, un festin pour tous les peuples, un festin de viandes grasses et de vins vieux, de viandes grasses succulentes et de vins vieux décantés.

7 Il fera disparaître sur cette montagne le voile tendu sur tous les peuples, le tissu tissé sur toutes les nations.

8 Il fera disparaître la mort pour toujours. Le Seigneur Dieu essuiera les larmes sur tous les visages et dans tout le pays il enlèvera la honte de son peuple, car Yahvé a parlé.».

3. PLURALISME RELIGIEUX ET CONNAISSANCE NATURELLE DE DIEU

En terminant, nous évoquerons brièvement deux thèmes marginaux de l'A.T., mais qui ne peuvent être passés sous silence en raison de leur importance dans la pensée moderne.

A. Pluralisme religieux (*Deut* 4,19 et 32,8)

Quelques textes de l'Ancien Testament supposent une vision religieuse pluraliste. On part du principe que chaque peuple a son dieu pour affirmer qu'Israël est le peuple choisi par le plus grand de tous les dieux, Yahvé. Dans une première étape, Israël identifie le «dieu du père», le dieu de l'ancêtre, avec le dieu suprême du panthéon cananéen, El,

---

(33) P.E. Dion, *op. cit.*, p. 147.

(34) J. Vermeylen, *Du prophète Isaïe à l'apocalyptique, op. cit.*, p. 380-381. L'A. pense que les peuples conviés au banquet ne sont pas les nations païennes, mais les Juifs dispersés à travers le monde (*op. cit.*, pp. 362-363).

le Créateur([35]), qui sera lui-même assimilé à Yahvé au temps de l'Exode. Jacob, dans un pacte conclu avec Laban, n'hésite pas à prendre à témoin le dieu de Nahor, père de Laban, aussi bien que le dieu d'Abraham, père d'Isaac (*Gen* 31,53 : « Que le Dieu d'Abraham et le dieu de Nahor protègent le droit entre nous. C'était le dieu de leur père. Jacob jura par la Terreur d'Isaac, son père »).

Jephté, en *Jug* 11,24, admet implicitement que Kemosh est le dieu de Moab comme Yahvé est le dieu d'Israël et que chaque peuple jouit de l'aide efficace de son dieu particulier (*Jug* 11,24 : « Est-ce que tu ne possèdes pas tout ce que Kemosh, ton dieu, a enlevé à ses possesseurs ? De même tout ce que Yahvé, notre dieu, a enlevé à ses possesseurs, nous le possédons ! » ([36]).

Deux textes tardifs du Deutéronome vont essayer de justifier cette pluralité des religions. *Deut* 4,19-20 : « Ne va pas lever les yeux vers le ciel, regarder le soleil, la lune et les étoiles, toute l'armée des cieux, et te laisser entraîner à te prosterner devant eux et à les servir. Car ils sont la part que le Seigneur ton Dieu a donnée à tous les peuples qui sont partout sous le ciel ; mais vous, le Seigneur vous a pris et il vous a fait sortir d'Egypte, cette fournaise à fondre le fer, pour que vous deveniez son peuple, son héritage, comme vous l'êtes aujourd'hui ». Les astres créés par le Dieu véritable (et non pas les idoles, fabriquées par les hommes) sont assignés ici par Yahvé comme objets de culte pour les autres nations, alors qu'Israël a le privilège d'être le peuple et l'héritage de Yahvé lui-même([37]).

Deut 32,8 développe la même idée : « Quand le Très-Haut donna aux nations leur héritage, quand il répartit les fils d'homme, il fixa le territoire des peuples selon le nombre des fils de Dieu » ([38]). Le Seigneur a préposé

---

(35) R. de Vaux, *Histoire ancienne d'Israël. Les origines*, Etudes Bibliques, Paris, 1971.

(36) Commentaire de P.E. Dion, *op. cit.*, p. 54 : « Le livre des Juges nous a conservé, déguisé en discussion avec les Ammonites au temps de Jephté (XIᵉ siècle), un morceau de polémique contre les Moabites datant apparemment du VIIᵉ siècle ».

(37) Selon S. Mittmann, *Deuteronomium 1,1-6,3 literarkritisch und traditionsgeschichtlich untersucht*, BZAW 139, Berlin, 1975, situe *Dt* 4,19 dans la sixième et dernière couche du Deutéronome, donc très tardive.

(38) Le texte hébreu lit « les fils d'Israël », mais la LXX et Qumrân attestent la *lectio difficilior* et probablement authentique « les fils de dieu ». Voir P. Winter, *Nochmals zu Deuteronomium 32,8*, dans ZAW, 75, 1963, pp. 218-223.

des êtres divins, identifiés aux dieux païens, à la garde des nations, tandis que Lui-même s'est réservé Israël, «son apanage» et «sa part d'héritage» (*Deut* 32,9) [39].

B. La connaissance de Dieu à partir de la nature (*Sag* 13,1-9)

Si l'école du Deutéronome reconnaît une certaine réalité aux religions païennes, *Sagesse* 13,1-9 affirme que tout homme est amené à reconnaître dans la nature (et dans les astres, en particulier) un signe du vrai Dieu (*Sag* 13,1: «à partir des biens visibles, ils n'ont pas été capables de connaître Celui qui est, pas plus qu'ils n'ont reconnu l'Artisan en considérant ses œuvres»). Au fond, d'après l'auteur du livre de la Sagesse, ce qui a manqué aux hommes, c'est le principe d'analogie qui leur aurait permis de passer d'une qualité dans les êtres visibles à l'affirmation d'une qualité supérieure dans leur créateur.

Sag 1,5 «Car la grandeur et la beauté des créatures conduisent par analogie (*analogôs*) à contempler leur créateur.

6 Cependant ces hommes méritent un moindre blâme: peut-être ne s'égarent-ils que dans leur façon de chercher Dieu et de vouloir le trouver.

7 Plongés dans ses œuvres, ils scrutent et ils cèdent alors à l'apparence, car il est beau le spectacle du monde!».

Le Sage reconnaît qu'il y a quelque chose de religieux et une véritable recherche de Dieu dans l'admiration de la beauté de l'univers. On est proche ici du discours de Paul devant l'Aréopage: si Dieu a fixé l'ordre du monde, «c'était afin que les hommes cherchent Dieu pour l'atteindre, si possible, comme à tâtons, et le trouver» (*Ac* 17,27) [40].

---

(39) P.E. Dion, *op. cit.*, p. 67-69, et A.M. Dubarle, *La manifestation naturelle de Dieu d'après l'Ecriture*, LD 91, Paris, 1976, pp. 64-67.
(40) A.M. Dubarle, *op. cit.*, pp. 132-151.

CONCLUSION

1. L'idée centrale de l'A.T. n'est pas l'universalisme, mais l'élection d'Israël.

2. Les Israélites n'ont pas à se faire les missionnaires ou les propagandistes de la foi en Yahvé, le seul vrai Dieu, mais à être son peuple choisi et à vivre en conséquence. C'est cette fidélité à l'Alliance qui incitera d'autres peuples à se convertir.

3. Il y a cependant une ligne universaliste incontestable qui part de la bénédiction de toutes les familles de la terre en Abraham (*Gen* 12,1-3) et qui aboutit au Deutéro-Isaïe appelant les confins de la terre au salut par la reconnaissance du Dieu unique (*Is* 45,22).

4. Cet universalisme indéniable comporte cependant deux modalités particularistes :

   a) il est centripète : tous les peuples convergent nécessairement vers Sion (*Is* 2,2-5 et parallèles).

   b) les nations païennes sont soumises à Israël et certains textes les réduisent même au simple rôle de convoyeurs, pourvoyeurs de richesses et serviteurs du peuple élu (*Is* 49,22-23 et parallèles).

5. Une autre ligne (marginale dans l'A.T.) admet le pluralisme religieux. Chaque peuple a son dieu particulier comme Israël est la part réservée de Yahvé. L'adoration des *benê Elohim*, des divinités secondaires, est excusable chez les païens en raison de leur fascination devant la beauté de l'univers. Mais pour l'auteur de *Sag* 13,5, ils devraient passer par analogie de la beauté des créatures à la beauté du Créateur.

Bo REICKE
(Basel)

THE UNIVERSALITY OF SALVATION ACCORDING TO THE NEW TESTAMENT

In the New Testament there are two Greek *expressions* which correspond to what is generally called «salvation» in theological literature and Christian preaching, but they do not have exactly the same meaning. One is *apolýtrosis*, the other *sotería*. The basic meaning of *apolýtrosis* is «deliverance» or «liberation», which is related to the verb *apolýo* meaning «to make free». A negative constatation tends to stand out here, since attention is drawn to what someone or something is delivered *from*. The fundamental meaning of *sotería*, on the other hand, is «preservation» or even «restoration», which implies the activity of a *sotér*, a «saviour» in the sense of a rescuer, a preserver, or a restorator. Related to the word *sotér*, in turn, are the adjectives *sôs*, «safe and sound», and the verb *sózo*, «to make safe and sound», or «to secure integrity». Seeing that a *sotér* is someone who brings about integrity and well-being, *sotería* tends to have a positve connotation indicating what someone or something is preserved or restored *to*.

Within the New Testament, *apolýtrosis* is never, and *sotería* only exceptionally, found in a secular context. This is so in difference from the Old Testament or Hellenism, where it can be a question of liberation from slavery and the like. Both words serve in the New Testament as technical expressions for liberation, preservation or restoration on a divine level, and together cover the general theological conception of «salvation».

25

There are 10 cases of *apolýtrosis* in the New Testament vocabulary, found especially in the epistles of Paul, and 47 instances of *sotería*, distributed throughout the New Testament writings (with the exception of Matthew, Mark and some of the epistles). Indirectly the conception of sotería may also be illustrated by 24 instances of *sotér* and 106 of *sózo*.

Preliminarily, the New Testament conception of *salvation* can be characterized in the following way. On the one hand, salvation implies a liberation from wrongdoing, wickedness, bondage, and destruction; this is what is called *apolýtrosis*. On the other hand, it means a preservation or even transformation which leads to righteousness and transcendence; this is what is called *sotería*.

A special aspect of the New Testament concept of salvation is the hope in a *universal* consummation. Jesus sent out his disciples to spread the Gospel of salvation to all mankind (e.g.*Matt.*28:19). His missionary program, taken over by the Church, implies a hope that every being in the universe will finally be restored to a perfect community with God, the creator of all things (e.g. *1 Cor.*15:28).

In this context there is good reason to study New Testament utterances about «all mankind» and «the universe», especially those found in connection with the Greek words *pâs*, «all», and *kósmos*, «world». Both appear with great frequency in the New Testament vocabulary: *pâs* 1244 times and *kósmos* 186 times. In analogy to *kósmos* there are 47 instances of the phrase *ouranòs kaì gê*, «heaven and earth», which indicates existence in general under its metaphysical and empirical aspects, respectively, and 19 cases in which *aión*, «eon», is used for the material world seen in the dimension of time. The very frequency of these expressions shows that New Testament authorities were deeply concerned with the task of a universal message and the hope in a universal salvation.

However, the world has often resisted the message. Although true light has come into the world, it was not always received by the world (*John* 1:10). This makes it necessary to study New Testament conceptions of salvation in a dialectic perspective. One has also to consider such notions as election and vocation; disobedience and punishment; remission and justification.

(1)

The historical background of the New Testament's belief in salvation is *Israel's* experience of a divine election, which has found especially important expression in traditions about the vocation of Abraham, the exodus from Egypt, the Kingdom of David, and in the prophecies of Second Isaiah. These elements of Israel's salvation history are often referred to in New Testament texts. It has to be observed, however, that the point here is the election and vocation of a particular nation, namely the Hebrew people. The primary aspect is particularistic, although in the second instance the salvation granted to Israel will include the Gentiles when they approach Zion, as is pointed out in Second Isaiah.

In post-exilic Judaism, various Old Testament sayings concerning a Davidic king expected to be a *saviour* of his people (like *Ps.* 72:4,14, *Ez.* 34:23) contributed to a gradual development of hope in a coming saviour of messianic dignity. A significant example is found in the so-called *Psalms of Solomon* number 17, composed in Pharisaic circles around the middle of the first century B.C., which deals with the liberation of Israel from Roman occupation. Thus for instance *Ps.Sol.* 17:30c says about the coming victorious Messiah of David's house: « He will purify Jerusalem in sanctity, as it was from the beginning. » Other important Jewish prophecies on a messianic saviour are found in *I Enoch* 90:20-38 and *4 Esdras* 12:31-34, 13:25-52. The perspective remains particularistic, for Israel is explicitly in the center, and the Gentiles are only said to be punished or to approach Mount Zion as humble proselytes.

The title *sotér* or «saviour», however, was more characteristic of *Hellenism* where it was used to celebrate kings supposed to have brought freedom and peace to a country. It was first applied to Ptolemy I, king of Egypt, when he had occupied the island of Rhodes in 306 B.C. Later it was especially Augustus who claimed to be the saviour of the world after having introduced the «pax romana», as glorified by Horace in his Secular Hymn of the year 17 B.C. In the New Testament the title of saviour was reserved for God and his Son (*Luke* 1:47, 2:11 e.a.), and this implied a rejection of the popular worship of kings and emperors in Hellenism.

The hellenistic environment of the New Testament was also stamped by a longing for salvation in the sense of a transition from the material and sensual world into a mataphysic and eternal reality. Influences from idealistic philosophies and mystery religions contributed to a widespread escapism and nostalgia, often combined with metaphysical speculation and religious asceticism. This even had an effect on Judaism, as is evident from the piety of the Essenes and the philosophy of Philo. Whether the traditional background of such movements was Hellenism or Judaism, their principal endeavour was to save man from temporality to eternity by means of a higher insight or *gnôsis*. Paul rejected such attempts to self-salvation in Corinth by referring to Christ as the only source of wisdom and freedom (*sophía* and *apolýtrosis, 1 Cor.* 1:30). Nevertheless that philosophical and religious speculation based on so-called *gnôsis* was further cultivated in the hellenistic environment, and from the second Christian century on it flourished under the name of gnosticism, especially in Alexandria.

(2)

. In the *New Testament*, salvation is exclusively ascribed to God's activity in Christ. This activity is nevertheless regarded as being a continuation and fulfilment of Israel's salvation history described in the documents of the Old Testament. Furthermore, God's activity in the historical life and death, the historical works and words of Jesus Christ is understood to be continued afterwards in the history of the church and the world until the end of the present eon, including the final judgment and consummation. It is a continuation and fulfilment which is submitted to the Son of God who proclaimed: «Everything has been handed over to me by my Father» (*Matt.* 11:27), and «To me has been given all power in heaven and on earth» (28:18).

The salvific importance of Christ's historical activity has been characterized in a representative way in a sermon which Peter, according to Luke in Acts, addressed to proselytes in Caesarea (*Acts* 10:37-38): «He is the Lord of all. You know what has taken place in all Judea, beginning in Galilee after the baptism which John preached, concerning Jesus from Nazareth whom God anointed with holy spirit and power. He went about to confer benefits, and healed all people oppressed by the devil, because God was present in him.» Numerous passages of the Gospels and the Epistles confirm that Jesus was generally understood in this way by his disciples and witnesses. It is also evident that Jesus presented his message and practised his ministry as the one sent by God to bring salvation to his people and to mankind. His message was introduced by the proclamation of the approaching kingdom of heaven (*Matt.* 4:17/*Mark* 1:15; cf. «thy kingdom come»), and implied an invitation to freedom and life (*Matt.* 7:14, 11:29, *Mark* 8:35, *Luke* 4:18, *John* 8:12,32), supported by healings of the sick and remission of sins (*Mark* 1:25 etc.). The only condition for this liberation and salvation was acceptance of the offer, and Jesus here spoke of «faith» in the sense of willingness to acknowledge his lordship and to remain in communion with him (*Matt.* 9:22 e.a.).

Christ's ministry was specially concentrated on seeking out and healing individuals who suffered from illness and sinfulness (*Matt.* 8:3 with parallels, 9:2 with parallels; *John* 5:8; cf. Christ's comment in *John* 5:17: «my Father works until now, and so do I also work»). His salvific activity thus meant a fight against human weakness and bondage in body and soul, two spheres which belong together. In both contexts the weakness and bondage in question was ascribed to destructive principles active in the world since the fall of man, and personified as demons or the devil. Therefore the salvation offered by Jesus to his countrymen and other contemporaries began with a liberation of sick people from illness caused by demons, and with a remission of their sins. Likewise the evil spirits knew they were dealing with their superior (*Mark* 1:24/*Luke* 4:34), and Jesus himself indicated that he was sent to suppress the devil (*Matt.*12:31 with parallels).

(a) According to the four *Gospels*, the ultimate purpose of Christ's message and ministry was to prepare God's kingdom and thus to inaugurate the final victory over all negative factors. The historical activity of Jesus, however, was first concentrated on *Israel*, and then expanded to the *Gentiles*. Supporting each other, the four Gospels represent an organic connection of particularism and universalism. Jesus is reported to have emphasized this relationship between Israel and other nations by explaining to the Samaritan woman (*John* 4:22): «We know what we are worshiping, for salvation comes from the Jews». His words illustrate the movement of salvation history from the elect people to all mankind, and from the Old Covenant to the New.

However, the relationship between particularism and universalism has not been treated exactly in the same way by the four evangelists.

The two elliptic points come out somehwat differently in Matthew and Mark on the one hand, in Luke and John on the other, although particularism and universalism complement each other in all four cases.

Matthew and Mark are first dominated by a *particularistic* view, which is gradually replaced by a universalistic perspective. According to the birth story of Matthew, the angel interpreted the name of Jesus as «saviour» and said the child would «save his people from their sins» (*Matt*.1:21). When sending out his twelve apostles in Galilee, Jesus ordered them to concentrate on the lost sheep in the house of Israel (*Matt*.10:6), and emphasized the same prerogative of Israel when meeting a woman in Phœnicia (15:24). Mark has given a similar picture of Jesus and the Phœnician woman by quoting the words of Jesus about the bread reserved for the children (Mark 7:27). In both Gospels, however, Jesus is also found to expand the horizon in the form of parables which allude to a general spreading of the Gospel (e.g.*Matt*.13:31-32 with parallels, about the mustard seed, or *Matt*.21:33-46 with parallels, about the wicked husbandmen). In a logical way, the Gospel of Matthew then culminates with Christ's commandment to make all people his disciples (*Matt*.28:19), and that of Mark with the significant conversion of the Roman centurio under the cross (*Mark* 15:39). Thus the first and the Second Gospels have drawn a clear line from Israel to other nations, and gradually expanded the particularistic into a universalistic program.

Luke and John have announced the *universality* of salvation much earlier in their reports, although the particularity of the elect people has also been retained in the narratives. Thus the story told by Luke begins with a revelation imparted to a Jewish priest in the Temple (Luke 1:11), and the birth of Christ is said to imply a great joy for the whole people (2:10). The public activity of Jesus begins nonetheless in Nazareth with indications of a Gentile mission analogous to charity works of Elijah and Elisa in Phœnicia and Syria (4:25-27). In fact, the middle section of Luke's Gospel reflects at several points a special concern of the evangelist for the Samaritans and the Gentiles (9:55, 10:7-8 etc.). At the end of the Third Gospel, words of the Risen Lord are quoted which point toward the more and more expanding mission described in Acts (*Luke* 24:47, *Acts* 1:8). As to the Gospel of John, the universality of the Christian message is underlined in the very first verse which identifies the word preached to the believers with the word spoken at the creation (*Gen*.1:1, *John* 1:1).

This does not exclude particularistic ideas of election and salvation history. On the contrary, Christ is consistently seen as the one who has fulfilled the Old Testament revelation («we have found the Messiah..., the one whom Moses and the prophets wrote about», *John* 1:41,45). His self-proclamations are explicitly based on biblical conceptions like the Messiah (4:25), the bread of life (6:35), and so on. In this sense Jesus announces that salvation comes from the Jews (4:22). But the resistance of a hostile *kósmos* and the unbelief of leading Jews (1:10-11) have led the fourth evangelist to pay more attention to the universalistic perspective. All who accept the light and believe in the name of Christ are made children of God independently of their human descendence (1:12-13). The love of God is defeating the hostility of the world by the incarnation of his Son (3:16). Consequently the Son sends out his messengers to work in this world (17:18), testifying God's love in Christ and in those who belong to him (17:23). John has thus made the universality of salvation a missionary incitement, but within a dialectic framework which implies that Christ fulfils the salvation promised to Israel and that like him his people are exposed to resistance and hatred in the *kósmos*.

The Gospels represent, no doubt, relatively different aspects of liberation and salvation, but the *apolýtrosis* and *sotería* which they proclaim are in all contexts regarded as the outcome of the activity of Israel's God in the person of Jesus Christ.

(b) The hope in a universal salvation including all mankind and the whole *kósmos* has been slightly more developed in the *Pauline* epistles, although Paul has also paid sincere attention to the election of Israel and the sinfulness of humanity.

In the Epistle to the Romans, the apostle introduced his theological argumentation by this solemn declaration (*Rom.*1:16): «I am not ashamed of the Gospel, for it contains an energy of God leading to salvation for every believer, be it a Jew in the first instance or a Greek». This means that salvation is offered to all mankind on the condition that God's salvific energy is accepted in faith, an attitude Paul understood as opening the heart for the activity of God in Christ.

Paul was convinced that if God had not sent his son to save the world, there would be nothing but corruption and destruction. The present world is under the wrath of God, for he is not venerated as he should be (*Rom.*1:18-21). Human religion and human wisdom lead to idolatry

31

and lawlessness, and under its elenctive aspect the Law accuses Jews and Greeks of being sinners (*Rom*.1:22 — 3:19), while it also points out that righteousness cannot be achieved by moral endeavours (3:20). Now, however, God reveals his own righteousness in Christ and gives it to every man who is willing to let it work upon him in faith (3:21-31). This genuine righteousness found in Christ was already revealed by the Law under its prophetic aspect (1:2,3:21,10:4), and Abraham received it because of his faith (4:3) so that he became the father of all Christian believers, both Jews and Greeks as representing the two groups of mankind in its entirety (4:11-12).

In the universalistic perspective thus opened by Paul, man's justification by faith in Christ is therefore brought to bear upon his salvation. Chapters 5 - 8 of Romans describe the results of man's justification by faith in Christ, and define them as liberation from negative factors to which man is exposed. Here the righteousness given to the believer is said to imply liberation from the divine wrath (5:9) in the following regards: from human sin (6:1); from the Law under its elenctive aspect (7:1); from death and the decay of all flesh (8:2-3).

Paul's exposé culminates in two glorious visions of a final salvation, both found in chapter 8. In the first case, a universal salvation is hinted at when Paul writes about creation's expectation of a general salvation (*Rom*.8:19-22): « For with eager longing creation waits for the revelation of God's sons. The universe was subjected to futility, not by its own will, but through him who caused this, yet with a hope that creation itself will be liberated from the slavery of corruption into the glorious freedom of God's sons. For we know that all creation is groaning and travailing like we until now. » The second passage in question emphasizes the coming triumph of all believers over death and life, time and space and other circumstances which control them during their earthly life (*Rom*.8:38-39): « I am convinced that neither death or life nor angels and principles, neither present or future time nor energies, neither the highest or the deepest point of the universe nor any other created element will be able to separate us from the love of God in Christ Jesus our Lord. » In both cases Paul expressed a prophetic optimism with regard to the final consummation. He felt by intuition that like those who believe, all creation aspires to be saved from mortality. And he was sure that all physical circumstances which control and limit mundane existence, such as the dimensions of time and space, will be invalidated by God's love in Christ which is the warrant for our salvation.

The eschatological consummation has been treated in greater detail by Paul in his First Epistle to the Corinthians. One might especially pay attention to his conclusions from Christ's resurrection (*1 Cor.*15:22-28): « Just as in Adam all have to die, so in Christ all will be made alive, each in his turn. The beginning is Christ, then at his coming there are those who belong to Christ. Afterwards comes the end when he delivers the kingdom to God and the Father, when he will have destroyed every principle, domination, and energy. For he shall rule until he has placed all his enemies under his feet. Death, the last enemy, will be destroyed... When everything has been subjected to him, then also the Son himself will be subjected to the One who has subjected everything to him so that God will be all in all. » This eschatology implies the expectation of an *apokatástatis pánton*, and Paul based it on Christ's resurrection from death which he saw as a historical fact testified to by many eye-witnesses including himself.

In the Second Epistle to the Corinthians there is another passage which illustrates Paul's attitude toward the universe. After having referred to Christ's love which led to the wonder that one man died for all men (*2 Cor.*5:14), Paul made this important observation (*2 Cor.*5:18-19): « Everything has come from God, who has reconciled us to him through Christ and given us the ministry of reconciliation. This means that God decided to reconcile the world (*kósmos*) to him in Christ by not charging people for their trespasses, and by placing among us the message of reconciliation. » Reconciliation here refers to man, and implies that human opposition and disobedience to God is removed in Christ who offers the remission of sins in the preaching of the word. Although the apostle was presently concerned with opponents in Corinth, he expressed a general conviction that salvation is offered to all mankind when he wrote that Christ died for all men and that God wanted to reconcile the entire world by the spreading of the Gospel. Thus the cross was thought to have universal importance « extra nos », and the gospel was expected to make everyone aware of its effect « pro nobis ».

The above-mentioned vision of a final *apokatástasis pánton*, which Paul imparted to the Corinthians when discussing the resurrection from death (*1 Cor.*15:28), was taken up again in his letter to the Ephesians. It is a question of a marvellous secret, which Paul describes with the following words (*Eph.*1:7-10): « In him (the Beloved One) we have the liberation (*apolýtrosis*) through his blood, the remission of trespasses expressing the richness of his grace which he lavished on us. With all wisdom and prudence he let us know the mystery of his dispensation, implying that benevolence of his which God has demonstrated before in Christ in order to practice it when time is fulfilled, that is, to comprehend the universe (*tà pánta*) in Christ, all what exists in heaven and what exists on earth.» This universality of God's dispensation is also illustrated by Christ's abolition of the wall that had separated Jews and Greeks (2:14). A later passage of Ephesians illustrates the extension of Christ's love in all dimensions of space (3:18): «You may realize, together with all the holy ones, what is here the breadth and length, the height and depth.» In these cases particularism is expanded into a universalism supported by an enthusiastic missionary program.

In analogy to Ephesians, the letter to the Colossians also underlines the universality of salvation in Christ. The topic is especially represented by the christological dithyramb of the first chapter where the apostle declares with rhetorical emotion (*Col.*1:19-20): «For it was in Christ that God preferred to let the whole fullness dwell, and through him to reconcile the universe (*tà pánta*) to God. By the blood of his cross, God pacified through him both what is in heaven and what is on earth.» Christ is here praised as the representative of God's fullness, which implies everything in existence, and therefore all existing things are expected to return to God through him.

(c) Biblical eschatology, however, does not suggest a direct transition from the old to the new eon. According to prophecies retained in the Old Testament, intertestamental literature, and the New Testament, the present *kósmos* is to be exposed to a *judgment*, a catastrophe or even an annihilation, before its restoration or re-creation will take place.

In the Old Testament and in Judaism there is a gradual *development* of the *expectations* in question. According to First Isaiah, the heavenly bodies will loose their light (Isa.13:10) and the skies will roll up like a scroll (34:4). God himself announces in Second Isaiah that heaven and earth will vanish, but that his salvation will last for ever (51:6). In addition, Third Isaiah quotes God's promise of a new creation: «I create new heavens and a new earth» (65:17); «The new heaven and the new earth which I create will remain before me» (66:22). The book of Jubilees supports this idea of a new creation within later Jewish literature (*Jub.*4:26).

Yet another passage of the book threatens men whith a destruction of the world (23:18). In the Qumran community, the infernal fire was supposed to carry out this destruction (*1QH* III.29-35).

According to the synoptic apocalypse, Jesus referred to first Isaiah's picture of heavenly catastrophes (*Isa.*13:10) when he described the Son of Man's second coming (*Matt.*24:29 with parallels). And in accordance with the words of God in Second Isaiah about the destruction of heaven and earth and the eternity of his salvation (*Isa.*51:6), Jesus then declared that heaven and earth will disappear, but his words never (*Matt.* 24:35 with parallels).

In a continuation of the synoptic apocalypse, Matthew has preserved a parable which illustrates the Son of Man's attitude toward all nations on earth, when he comes with his angels to execute the final judgment and to separate the sheep from the he-goats (*Matt.*25:31-46). The starting point is the gathering of all mankind before the throne of Christ (*pánta tà éthne*, 25:32), and the criterion for admittance or rejection is whether people have shown mercy to one of Christ's least brethren (25:40,45; cf. the cup of fresh water mentioned in 10:42). Seeing that all nations are mentioned in the parable and that Christ speaks to people who know nothing about having done a good work for him when they showed mercy to some of his disciples (25:37-39,44), the scenery was in fact meant to indicate the destiny of the multitudes who have not yet become confessors of the gospel when the judgment takes place.

This problem of the multitudes not yet reached by the Gospel was also taken up in the First Epistle of Peter. In order to strengthen the willingness of the believers to confess their faith even in a hostile environment (*1 Pet.*3:15), the author first mentioned Christ's preaching to evil spirits in prison who had been disobedient at the time of the flood (3:19), and then said the Gospel was also preached among the dead to let them be judged in the flesh and raised to life in the spirit (4:6). Whether the evil spirits in prison were converted and delivered or not, has not been explained; but the preaching among all dead was evidently meant to imply a posthumous chance of salvation.

Another eschatological topic, adopted by Jesus according to the synoptic apocalypse, has been developed in the Second Epistle of Peter. This is the destruction of the universe on the day of the Lord: « On that day heavens will pass away with a whizzing sound, the elements will burn up and be dissolved, and the earth and its works will be exposed» (*2 Pet*.3:10; cf.v.12). The dramatic exposition is reminiscent of a Qumran hymn quoted above which describes an explosive destruction of the universe in fire (*1QH* III:29-35). But immediately afterwards in Second Peter there is a reference to a passage from Third Isaiah which represents the above-mentioned expectation of a restored universe without sin (*2 Pet*.3:13): «We are waiting for new heavens and a new earth according to his promise (*Isa.*65:17,66:22), in which righteouness will dwell.» The point is that anyone who desires to have part in the new creation must get rid of all wickedness in the present sinful world, and eagerly wait for the glorious world to come.

In a colourful scenario, this final drama has been described by the last book of the New Testament which the prophet John has defined as a revelation directly received from the mouth of Christ (Rev.1:1). Among other things, John saw in a vision how the eternal judge will be sitting on his throne, and how the earth and the heaven will disappear before the universal judgment takes place (20:11). Then he saw «a new heaven and a new earth» (21:1), in accordance with the prophecy of Third Isaiah quoted above (*Isa.*65:17,66:22). In this new universe God will be in the midst of the nations belonging to him (*Rev.*21:3). The city of Jerusalem will be restored and dedicated to Israel (21:12), but also shed light on all nations (21:24). In paradise regained the tree of life will offer its leaves for a healing of the nations (22:2). Notwithstanding the numerous references of Revelation to the judgment, punishment and destruction of contemporary society, because it practises anti-Christian oppression and totalitarian selfishness, the expectation of a universal salvation in a future eon is still the final aspect.

(3)

The *reason* and *purpose* of man's salvation, in the view of the New Testament, may be characterized by a proclamation of Jesus quoted in the Fourth Gospel in connection with the last supper (John 14:19): «You will see me, for I live and you will live.» Jesus here refers to his resurrection from death, and the disciples are said to become participants of the higher life to which he is raised. Thus the reason for their salvation is Christ's resurrection to life, and the purpose of their salvation is their life together with the Risen Lord which means they will, after their death, share his life in perfection and eternity.

In the same way all New Testament writers dealing with salvation have thought of Christ's resurrection as the basis or «causa efficiens» of salvation. As further examples from the Gospels, one may refer to the words of Jesus about resurrection and discipleship (*Matt.*16:21-24 with parallels), or about the exaltation of the Son and belief in him (*John* 3:14-15). In this context, Paul is especially instructive, and one has only to think of his remark that without the reality of Christ's resurrection the whole message and belief would be in vain (*1 Cor.*15:14,17).

As for New Testament passages which imply that eternal life in communion with Christ, and through him with God, is the purpose or «causa finalis» of salvation, it may suffice to emphasize the importance of the holy spirit, especially in connection with baptism and the eucharist. Peter for instance admonished the audience in Jerusalem at Pentecost to accept baptism in the name of Jesus Christ, to receive holy spirit, and be «saved from this perverse generation» (*Acts* 2:38,40). The last supper was inaugurated and celebrated in order to represent the new covenant (*Matt.*26:28 with paralells, *1 Cor.*11:25), which means an intimate communion of the believers with God through Christ and the Spirit (*John*13:16, *Hebr.*9:14).

In all these contexts, particularistic and universalistic aspects complement each other. Salvation is offered to all mankind, the Jews first and then also the Greeks. Many will come from east and west and lie at table with Abraham, Isaak and Jacob in the kingdom of heaven, but those who reject the invitation will be excluded (*Matt.*8:11-12/*Luke* 13:28-29). Whether there is yet a chance of final salvation for those outside, that is a divine secret which cannot be known by mortal beings.[1]

---

[1] An excellent survey of the Old and New Testament message on salvation was published by Alan Richardson, *Salvation, Savior: The Interpreter's Dictionary of the Bible*, 4(1962), pp.168-181. See further B. Reicke, *Erlösung: Biblisch-Historisches Handwörterbuch*, 1 (1962), col. 430-432: G. Fohrer & W. Foerster, *sózo, sotería: Theologisches Wörterbuch zum Neuen Testament*, 7 (1964), pp.966-1024; O. Cullmann, *Heil als Geschichte. Heilsgeschichtliche Existenz im Neuen Testament* (1965); W. Mundle, *lýo: Theologisches Begriffslexikon zum Neuen Testament*, 1(1967), pp.258-263; L. Coenen, *Sózo*: ibid., pp.264-272; S.Lyonnet & L.Sabourin, *Sin, Redemption, and Sacrifice. A Biblical and Patristic Study*, = Analecta biblica 48(1970); J.T.Forestell, *The World of the Cross. Salvation as Revelation in the Forth Gospel*, = Analecta biblica 57(1974); W.Radl, *sózo: Exegetisches Wörterbuch zum Neuen Testament*, 3(1983), col.765-770; K.H.Schelkle, *sotér, sotería*: ibid., col.781-788.

Elie MELIA

(Paris)

L'UNIVERSALITÉ DU SALUT
DANS LA TRADITION ORTHODOXE

On rencontre, tant dans l'Ecriture Sainte que dans la Tradition ecclésiastique, une double perspective concernant le salut que Dieu veut pour le monde qu'il a créé. 1- Une perspective proprement universelle concernant le monde et l'humanité dans leur globalité. Une origine unique du monde et de l'humanité est postulée par l'unité du Dieu créateur tout-puissant. Cfr. Eph 4,5 : « Un seul Dieu et Père de tous, qui est au-dessus de tous, par tous et en tous » ; I Cor 2,6 : « Il n'y a qu'un seul Dieu, le Père, de qui tout vient et par qui nous sommes, et un seul Seigneur, J.C., par qui tout existe et par qui nous sommes » ; pour le Saint-Esprit, cfr. Gen I,1. En un mot : un Dieu, un univers, un salut. 2- L'autre perspective est celle du recentrement comme condition de salut d'un monde et d'une humanité indéfiniment variés. Le recentrement atteste l'unité de l'univers : il n'y a pas d'universalité sans lien d'unité.

Les deux perspectives mutuellement complémentaires : universalité et recentrement ou expansion et rassemblement dans l'unité, concernent aussi bien la création de notre monde *ex nihilo* que la rédemption de l'humanité déchue, après le péché des premiers parents. Ce n'est pas là un principe abstrait, mais une loi qui permet de saisir la nature de l'Eglise, à partir de la création et tout au long de l'histoire.

Le récit de Gen I et II révèle un monde créé « informe et vide » que le Seigneur ordonne en une œuvre de six jours, dans une perspective d'universalité en expansion, avec l'affirmation répétée que « Dieu vit que cela était bon». Ce monde culmine dans la création de l'homme et du premier couple «à l'image de Dieu et à sa ressemblance» avec le commandement de peupler le monde et de le cultiver.

Ainsi un premier recentrement ou une première médiation se situe dans cette interdépendance entre l'homme et le cosmos. Dieu n'a pas créé l'homme en premier lieu, mais à la fin de son œuvre, afin de signifier que le monde est pour lui une donnée (au plan spirituel, un don) qui lui est adaptée et à laquelle, tout à la fois, il est lui-même adapté. L'homme est, ainsi, le centre du monde, son cœur, sa conscience et, d'autre part, il doit le peupler et le cultiver dans le double cadre du temps (l'histoire) et de l'espace.

Les Pères grecs ont développé une anthropologie à la fois personnaliste et donc individuée (mais non individualisée : à Dieu ne plaise !) et, d'autre part, communionnelle, qui va au-delà d'une évidente sociabilité. On se rappellera ici la doctrine Paulinienne des deux Adams : l'unique genre humain est recentré, aux yeux du théologien de la grâce, dans les figures du premier Adam, selon la chair, et du second Adam, selon l'Esprit ; le premier a entraîné sa descendance dans sa chute, le second l'a relevée et l'a restaurée.

Le récit biblique de la création commande une évaluation positive de la nature en tant que telle, du fait même de sa création par Dieu. S. Maxime le disait avec sa concision et sa netteté habituelles : le mal n'est pas dans la nature, mais dans le mauvais usage qu'on en fait. Le mal a donc sa source dans une liberté dévoyée : il ne doit pas être considéré comme symétrique au bien ainsi que le prétendaient les manichéens, secte gnostique du IIIᵉ s., qui ajoutait au mélange du paganisme méditérranéen, du judaïsme et du christianisme, un fond de dualisme iranien. On pourrait définir le manichéisme, lequel a perduré et s'est diversifié au long de l'histoire, comme une tentative extrême d'unification par rejet, dans la sphère du mal primordial, de toute opposition, dans quelque domaine et à quelque niveau que ce soit. Pour le manichéen, l'inacceptable c'est la diversité et le dialogue. De ce point de vue, le manichéisme est l'archétype de tous les totalitarismes, que ce soit sur le plan religieux, philosophique ou politique. Avatar du manichéisme, le totalitarisme n'est pas un principe d'universalité : il ne propose qu'une unité négative et destructrice, de mort et non de vie. Cette tendance est tenace, sans cesse renaissante ; elle reste actuelle.

UNIVERSALITÉ ET RÉDEMPTION

A cause de la liberté octroyée par le Créateur, à cause donc aussi d'une possibilité d'existence autonome, séparée, la tentation de l'homme créé à l'image de Dieu, fut à l'origine, et demeure toujours, celle de la suffisance, par ailleurs fallacieuse, de son être et de son existence, indépendamment du Créateur et du Sauveur. Cette revendication de suffisance déborde de l'homme sur le monde qu'il s'emploie à assujettir en le violentant et en lui imposant toutes sortes de nuisances. L'homme déchu devient lui-même et, à cause de lui, toute la création devient (cfr. Rom. VIII) la proie des forces qu'il a suscitées, les amenant à l'existence, une existence évidemment parasitaire et qui se retournent contre lui : chaos, divisions et dispersion, affrontements et destructions, en fin de compte péché et mort.

Dès lors le salut ne peut que devenir rédemption : celle-ci est libéralement accordée par Dieu car « Dieu, notre Sauveur, dit S. Paul, veut que tous les hommes soient sauvés et parviennent à la connaissance de la vérité. Car il y a un seul Dieu et aussi un seul médiateur entre Dieu et les hommes, Jésus Christ, homme qui s'est donné lui-même en rançon pour tous » (I Tim 2,4-6). Dans le cadre de la Rédemption, la volonté salvifique universelle de Dieu apparaît comme pardon et promesse, dès avant l'expulsion des premiers parents du paradis terrestre, c'est-à-dire dès avant la sanction. C'est là l'unique acte salvifique unilatéral de Dieu envers l'homme.

Le pardon divin provoque et permet un renouvellement de la conscience et du cœur ; la promesse divine est déjà en soi un don vivifiant, dans un développement *synergique* de la grâce divine et du libre-arbitre humain. L'image indestructible de Dieu dans l'homme permet de maintenir l'universalité du salut. S. Augustin a ici, on le sait, une position qui semble bien diverger d'avec la doctrine du synergisme enseignée par les Pères grecs. La question à poser ici est de savoir si le synergisme s'opère à partir de l'image de Dieu, inscrite en tout homme venant au monde ou s'applique-t-il aux seuls croyants baptisés. Rappelons ici I Tim 4,10 : « Nous mettons notre espérance dans le Dieu vivant qui est le sauveur de *tous* les hommes, *principalement* des croyants » μάλιστα πιστῶν.

Dans le récit biblique de la rédemption, l'alliance que Dieu établit avec les hommes se développe en se concentrant. L'alliance avec Noé est une reprise de celle avec Adam : c'est un nouveau recentrement dans un cadre qui reste universel, pour ainsi dire, directement.

Le mythe de la tour de Babel (Gen XI,1-9) : confusion des langues et dispersion des hommes comme conséquence de la tentative de se construire une ville et une tour dont le sommet atteindrait le ciel, ne remet pas en cause le principe de l'universalité du salut. Il en dénonce simplement une fausse conception, celle de la suffisance de la société humaine, indépendamment de Dieu. Tel est actuellement, me semble-t-il, le cas du projet de la « cité séculière », objectif de la théologie séculière.

Avec Abraham, le « père des croyants », selon Gal 3,7 s., l'Alliance est conditionnée par la foi ; Hebr XI élargit le domaine de la foi, en amont et en aval d'Abraham. Ensuite, s'insère la médiation d'Israël. En terre étrangère, l'Egypte, Israël, constitué en peuple, fait l'amère expérience de la déréliction. Mais Pâque est la prodigieuse révélation de la délivrance, et Moïse, prophète, législateur et fondateur du culte, conduit le peuple élu vers la Terre Promise, celle de la liberté et celle de la responsabilité historique parmi les nations, avec les vicissitudes et les ambiguïtés que cela implique.

Cependant, la singularité d'Israël, l'unicité de la Terre Promise, de Jérusalem, la ville sainte, du Temple, lieu exclusif des sacrifices propitiatoires et demeure de la gloire de Dieu ainsi que de la garde du Nom divin, tout cela, dans la lecture qu'en fait l'Eglise, ne devait pas signifier un particularisme fermé, mais une symbolique d'unité universelle par voie de recentrement. Comme pour conjurer la tentation du repliement particulariste, Israël est amené à faire, dans la détresse de l'Exil, l'expérience de l'attente echatologique du Messie, le Sauveur universel dont il fallait préparer l'avènement. La médiation se concentre désormais sur un « reste » d'Israël, mais toujours dans une perspective universaliste. A la fin des temps, en effet, les Nations de la terre rejoindront Israël dans le culte du Dieu unique, la paix sera instaurée dans l'univers car le désert fleurira, le loup habitera avec l'agneau (Is II,8-9), les boiteux bondiront, les aveugles verront, les sourds entendront (35,9) : cette vision a introduit le moment de l'*espérance* collective et universelle : 55,1-3.

Cependant dès avant l'Exil, les prophètes se font les hérauts véhéments d'une dimension d'universalité en promouvant la justice sociale en faveur du pauvre et du faible, tout en leur ouvrant une perspective eschatologique de joie et de gloire. En même temps qu'ils entretiennent ainsi la lumière et la chaleur de l'espérance, les prophètes proclament dans la société de leur temps les droits des pauvres à la justice. Le «magnificat» de la Vierge, Mère de Dieu (Luc I,46-55) en est une profession exaltée. D'ailleurs la prophétie du Messie souffrant d'Isaïe annonce la «kénose» du Fils de Dieu fait homme. Il y a là un lieu d'universalité que nous redécouvrons avec force, de nos jours.

Le Nouveau Testament reprend, en la renouvelant, la perspective d'universalité. Le «au commencement» de Jean I,1 donne son sens ultime au «au commencement» de Gen I,1. Car l'universalité néo-testamentaire concerne aussi bien le temps que l'espace, c'est-à-dire le projet missionnaire. L'eschaton, c'est-à-dire l'ultime et le décisif, est survenu, le Royaume de Dieu est déjà là, parmi les hommes, l'Esprit de Dieu est répandu sur toute chair (Act 2,17 s). Le temps est enrichi: en ce monde même s'établit la dialectique du *déjà* et du *pas encore*, temps de l'Eglise-Corps du Christ, temps des sacrements-anamnèse et anticipation, en tant que révélateurs de la nature de l'Eglise.

L'Eglise est nouvel Israël non par rejet de l'ancien, non par simple remplacement, mais par accomplissement, dans une plénitude englobante. S. Paul, dans sa réflexion historiosophique sur le destin d'Israël en Rom XI, inverse les données antérieures du thème concernant le *reste d'Israël*: «une partie d'Israël s'est endurcie jusqu'à ce que soit entrée la totalité des païens, et ainsi tout Israël sera sauvé» (vers.26). «Car Dieu a enfermé tous les hommes dans la désobéissance pour faire miséricorde à tous» (vers.32).

Ainsi on revient du recentrement symbolique sur un reste d'Israël à un universalisme intégral mais dans une perspective nouvelle: par recentrement sur Jésus Christ, Fils de Dieu incarné dont l'influx remonte jusqu'au premier Adam et s'achève dans la plénitude eschatologique qui est déjà en œuvre par une attente active de la Parousie. L'Eglise, nouvel Israël, devient le lieu définitif de la double perspective du salut: expansion missionnaire parmi les Nations et mystère d'unité dans le rassemblement eucharistique.

D'autre part, un aspect spécifique de la Nouvelle Alliance se trouve dans son personnalisme. La vision personnaliste concerne aussi bien le mystère de la triunité divine, au cœur de la théologie, que l'anthropologie dans la complémentarité essentielle de l'individuation et de l'intégration communautaire. C'est là le mystère révélé de l'amour, expression suprême de l'être personnel se réalisant en perfection dans la triunité divine -«Dieu est amour» I Jn 4,8- et dans le mystère de l'Eglise-Corps du Christ. La spécificité de l'amour évangélique s'exprime dans l'exigence d'aimer tout homme, jusqu'à son ennemi même : Mt 5,43 s. ; Lc 7,12 s.

Si nous établissons une comparaison avec Gen I-II, nous voyons que l'homme ne réalise plus la plénitude de son être dans la seule fécondité du mariage, encore que celui-ci reste nécessaire pour peupler et cultiver la terre, mais qu'il est devenu capable de se réaliser par une intégration directe au Corps du Christ où «il n'y ni Juif ni Grec, il n'y a ni esclave ni homme libre, il n'y a ni homme ni femme ; car tous vous ne faites qu'un dans le Christ Jésus» (Gal 3,28). Chacun rejoint ainsi l'unique genre humain régénéré. Nous en avons un témoignage éloquent dans le monachisme chrétien en tant qu'il présente une valeur universelle par la voie d'un dépouillement extrême, voie révélée par le Christ comme condition du salut : Mc 8,34-37.

TÉMOIGNAGES PATRISTIQUES SUR L'UNIVERSALITÉ DU SALUT

S. Irénée de Lyon, dans son Adversus Haereses (dernier quart du IIe s.), reste fidèle à la doctrine Paulinienne de l'ἀνακεφαλαίωσις = recapitulatio.

Les Pères Apologètes des IIe-IIIe ss. se sentent à l'aise avec la conception universaliste, plus exactement cosmopolite, de la philosophie stoïcienne : universalité du λόγος et des λόγοι σπερματικοί. Clément d'Alexandrie, au lieu d'accuser les philosophes anciens d'avoir pillé des vérités dans l'Ancien Testament, enseigne que le Logos, qui forme avec le Père et le Saint-Esprit la Trinité divine, avait manifesté la vérité dans la Loi des Juifs, mais aussi dans la philosophie des Grecs, avant de la manifester en plénitude dans son incarnation.

Origène, le fondateur de la première école de théologie supérieure et, par conséquent de la théologie d'école, a enseigné l'ἀνακατάστασις πάντων, dans son περὶ ἀρχῶν, il écrit : «A notre avis, la bonté de Dieu ramènera, par Jésus Christ, toutes les créatures à une seule fin, même ses ennemis, après les avoir conquis et subjugués» lib.I,6,1. Mais son universalisme va de pair avec un dualisme ontologique qui lui fait concevoir la matière comme une dégradation de l'être spirituel primordial. Sa hantise

44

de la stabilité ontologique, hantise qu'il partageait avec toute la philosophie antique, lui rendait suspecte la diversité des êtres qu'il expliquait comme résultant d'une pratique différemment dégradée du libre-arbitre. On sait le succès perdurant et à rebondissement de l'origénisme, dans les milieux monastiques anciens.

S. Grégoire de Nysse, qui fut, parmi d'autres Pères de son temps, un admirateur du grand Alexandrin, pensait que le mal n'a pas la puissance suffisante pour durer infiniment: Oratio catechitica,26: De anima et resurrectione = τὰ μακρίνια (J.Daniélou, L'apocatastase chez Grégoire de Nysse, RSR 30, 1940, p.324-347).

Plus intéressante, du point de vue spirituel, semble être la position des Pères Syriens: S. Aphraat († après 345), S. Ephrem (†373), S. Isaac († vers 400). Voici ce que dit Isaac de Ninive: «C'est un embrasement du cœur au sujet de tout le créé, des hommes, des oiseaux, des animaux, des *démons* et de toute créature. Par une grande et forte pitié qui s'empare du cœur, par une grande patience, le cœur de l'homme entre en componction et il ne peut supporter ni entendre ni voir aucun dommage ni la moindre peine que souffre la créature. Aussi, et pour les êtres dénués de parole, et pour les ennemis de la vérité, et pour ceux qui font le mal, apporte-t-il à tout moment une prière avec des larmes pour qu'ils soient sauvegardés et pris en pitié; et pour le genre des reptiles il prie avec une grande compassion, qui s'élève sans mesure dans son cœur jusqu'à une assimilation en cela avec Dieu» (cité par S.Bulgakov, La Fiancée de l'Agneau: Homélies Ascétiques; trad. Constantin Andronikof, éd. L'âge d'homme, Lausanne 1984, p.351/52).

A l'opposé, il suffit de rappeler la doctrine prédestinatianiste (simple) de S. Augustin (†430). Calvin prônait, lui, la double prédestination. Les Jansénistes avaient une position réductionniste à base de piétisme. Totalement absent dans la tradition orientale, le prédestinatianisme reste — est-il exagéré de le dire? — un problème non résolu dans la théologie occidentale. Il faudrait analyser l'ouvrage plus serein «La cité de Dieu» (de 413 à 416), qui est la première tentative importante d'historiosophie chrétienne...

ÉVOLUTION CANONICO-HISTORIQUE DE LA CONCEPTION DE L'UNIVERSALITÉ DU SALUT DANS L'ÉGLISE

L'universalité du salut fut mise en question une première fois dans l'Eglise à propos de la querelle de la circoncision dans le christianisme primitif. La question fut soulevée dans l'Eglise d'Antioche par «certaines gens descendus de Judée» (Act XI,20); elle fut dirimée, quant au principe, au concile apostolique de Jérusalem : Act XV. Un autre problème fut celui des idolothytes : viandes lustrées (consacrées) par le sacerdoce païen et qu'on mangeait dans des repas municipaux ou qui étaient vendues sur le marché. S. Paul adopta une attitude ouverte : il en faisait une question pastorale pratique ; son critère était la charité envers les faibles dans la foi. S. Jean, au contraire, se montrait très strict : Ap 2,14 et 20. La médiation elle-même d'Israël fut, à la fin de l'âge apostolique, considérée comme dépassée ; S. Paul, quant à lui, la mettait entre parenthèse, comme suspendue pour un temps, afin de permettre aux Nations de devenir peuple de Dieu, de devenir proches, d'éloignées qu'elles étaient auparavant (Rom XI).

Aux siècles de persécutions, de 64 à 313, avec une accalmie prolongée de 260 à 304, les chrétiens étaient rejetés par l'Etat romain à visée universaliste et par la société ; tout l'environnement non seulement officiel, mais aussi sociologique leur était hostile, même en dehors des crises paroxystiques : 202 et s., 250 à 260, 304 et s. Certains penseurs et certains groupes cédèrent à la tentation du repliement particulariste : Tatien au II°s., Tertullien, les montanistes qui estimaient qu'il fallait rechercher le martyre, les Novatianistes, enfin les Donatistes en Afrique, qui prônaient le martyre provoqué. En fait le martyre authentique est un mystère de communion et un gage d'universalité en tant que témoignage de la vérité : sanguis martyrum, semen christianorum. C'est un faux esprit de martyre qui implique fermeture et particularisme fanatiques.

On le vit bien lors de la querelle de la pénitence pour les *lapsi*, avec le triomphe de la solution pastorale à quoi s'opposèrent les Novatianistes.

A peu près en même temps, milieu du IIIᵉ s., était posée la question de l'anabaptisme qui mit en conflit S. Cyprien de Carthage et S. Etienne de Rome. C'est la solution *œcuménique* (première apparition formelle du problème œcuménique) qui triompha. Le concile général d'Occident, Arles, 314, au canon 8 décida qu'il n'y avait pas lieu de rebaptiser les hérétiques revenant à l'Eglise, si le baptême avait été administré au nom de la Sainte Trinité; on déplorait qu'en Afrique on continuât de rebaptiser. Au premier concile œcuménique, Nicée, 325, au canon 19 il était stipulé que les Pauliciens (négateurs de la Sainte Trinité) devaient être rebaptisés, alors que les mêmes Pères décidaient au canon 8 que les καθαροί i.e. les Novatianistes pouvaient être réadmis dans leur état, s'ils signaient les dogmes de l'Eglise catholique et acceptaient à la communion les *dygames* et les *lapsi*. Il apparaissait ainsi, dès le IV°s. et avec l'autorité incomparable du premier concile œcuménique que «les frontières canoniques de l'Eglise ne coïncident pas avec ses frontières mystiques».

Il est intéressant, du point de vue de notre sujet, de marquer l'évolution de l'attitude de l'Eglise envers les schismatiques et les hérétiques. Rappelons d'abord que les successeurs immédiats de Constantin I s'appliquèrent à mettre légalement le paganisme hors la loi et persécutèrent effectivement les païens : toute cœrcition de ce genre, nous l'avons dit à propos du manichéisme, est une atteinte à l'universalité du message évangélique. C'est Théodose I (379-395) qui institua une orthodoxie d'Etat, orthodoxie officielle, garantie par la loi. L'édit du 27 février 380 indiquait le critère de la vérité ecclésiastique, interdisait aux récalcitrants le droit aux titres d'Eglise et de catholique et les astreignait à «la honte de l'hérésie»! L'édit du 30 juillet 381 (sanctionnant légalement le IIᵉ concile œcuménique) désignait nommément, pour chaque région de l'Empire, le coryphée de l'orthodoxie! Les résultats ne se firent guère attendre. Le premier cas d'hérétiques suppliciés concerne le concile de Bordeaux 385, transféré à Trèves. A la suite de la condamnation conciliaire, l'empereur usurpateur Maxime condamna à mort l'évêque Priscillien et cinq de ses partisans dont une matrone. Pour l'honneur de l'Eglise, S. Martin de Tours fit une démarche de protestation, laquelle malheureusement n'aboutit pas. Les Donatistes, en Afrique, défendaient devant les envoyés impériaux le principe de l'indépendance de l'Eglise face à l'empereur, i.e. l'Etat. Les légats firent alors remarquer que ce n'était pas l'Empire qui se trouvait à l'intérieur de l'Eglise, mais l'inverse! S. Augustin, pour sa part, dans de nombreux écrits, principalement l'Epist. de correptione haeriticorum, justifiait l'appel à la cœrcition par l'Etat chrétien. D'autre part, il jugeait que schismatiques et hérétiques ne pouvaient se tenir hors de l'Eglise que pour des motifs moralement indignes. C'est à cette occasion que le mot catholique fut dépossédé de son sens interne-qualitatif au profit du sens quantitatif: à tout le moins l'équilibre des deux sens fut-il perturbé. L'institution de l'Inquisition au XIIIe s. par Grégoire IX de Rome, institution qui perdura des siècles, fut-elle seulement une aberration de la position du grand docteur de l'Eglise d'Occident? Dans le monde byzantin on ne fut pas tendre non plus pour les hérétiques...

Notons *in fine* un changement significatif, intervenu dans la sanction canonique suprême édictée par les conciles. Jusqu'au IVe s. ce fut l'excommunication qui signifiait une mise à l'écart provisoire de la communauté (comp. le nazirat juif qui durait de 3 à 30 jours). Depuis, pour les questions les plus importantes, notamment en ce qui concerne les définitions dogmatiques on usa de l'anathème, (correspondant au herem juif), impliquant l'exclusion définitive de l'Eglise.

Pour résorber les grandes déchirures de l'Eglise survenues aux Ve s. avec les Eglises non-Chalcédoniennes, au XIe entre Rome et Byzance, au XVIe entre le catholicisme et la réforme protestante, au XVIIe entre l'Eglise orthodoxe russe et les Vieux-ritualistes, nous disposons du mouvement œcuménique, né au début du siècle: pour la première fois un mouvement convergent met en branle toutes les Eglises chrétiennes ensemble. Ainsi la chrétienté redevient universelle *de facto*, sinon encore *de jure*.

HISTOIRE DE LA MONDIALISATION DE L'ÉGLISE

Dès l'origine, consécutivement à la Résurrection du Christ et à la Descente du Saint-Esprit, l'Eglise était porteuse d'une extraordinaire énergie missionnaire: «Cette Bonne Nouvelle du Royaume sera proclamée dans le monde entier, en témoignage à la face de toutes les nations. Et alors viendra la fin» (Mt 24,14); «Tout pouvoir m'a été donné au ciel et sur la terre. Allez donc enseigner toutes les nations, les baptisant...» (28,18-19); «Vous allez recevoir une force, celle de l'Esprit Saint qui descendra sur vous. Vous serez alors mes témoins à Jérusalem, dans toute la Judée et la Samarie et jusqu'aux extrémités de la terre» (Act 1,8).

L'Eglise chrétienne est née et s'est développée à partir d'Israël avec son prolongement dans la diaspora, dans l'Empire Romain à visée universelle et qui était porteur de valeurs et de moyens d'universalité, à savoir: la culture héllénistique (dont déjà Alexandre de Macédoine s'était fait le héraut universel au IVe s.), le Jus Romanum et une administration centralisée et omniprésente. Avec ses 50 millions d'habitants, l'Empire contenait un quart de la population du globe terrestre.

Une première diversification politico-culturelle importante apparut avec l'intégration dans la chrétienté du monde germanique, à partir des VIIe-VIIIe ss en Occident, et du monde slave, à partir des IXe-Xe ss en Orient.

Au VIIe s. on assiste à un tournant historique d'importance majeure: l'émergence, avec l'Islam, d'une nouvelle entreprise universaliste, sur une base d'ailleurs judéo-chrétienne. De Gibraltar et Tanger jusqu'à l'Asie Mineure comprise, les Arabes, relayés par les Turcs, investissent la chrétienté. Aux XIe-XIIIe ss les croisades furent une tentative, d'ailleurs manquée, de rompre ce barrage. Vers la fin du XVe s. les navigateurs Portugais y parvinrent en contournant le continent africain, ouvrant ainsi la route vers l'Extrême-Orient. En 1492, Christophe Colomb, pour le compte du roi d'Espagne, découvrait l'Amérique, i.e. l'Extrême-Occident. Du coup la chrétienté occidentale était mondialisée.

Vers le même temps, la chrétienté orientale, de tradition byzantine, tombait sous le joug musulman turc et était rejetée, pour un demi-millénaire, dans un ghetto à la fois politique et culturel; elle se trouvait pratiquement hors de l'histoire mondiale, à l'exception toutefois de la Russie. Celle-ci amorçait à cette époque une ascension politique qui allait en faire un empire couvrant un cinquième des terres émergées. Ainsi était maintenue une présence othodoxe dans le concert international, comme aussi dans l'expansion missionnaire.

Pour résumer ce qui précède et ce qui allait suivre, on peut dire que les peuples chrétiens ont non seulement peuplé une grande partie de la Terre, mais de plus ils ont exploré l'ensemble du globe terrestre. Pour prendre un exemple, un des grands événements dans ce sens fut la connaissance de la Chine, grâce aux Jésuites, au XVIIe s. Malgré les bavures évidentes de la colonisation, le monde s'est trouvé unifié et la conscience de l'unité du genre humain s'est propagée chez tous les peuples du monde, se concrétisant dans des institutions internationales et par le moyen des mass-media.

LIEUX D'UNIVERSALITÉ

L'Eglise n'a jamais été l'unique lieu d'universalité; elle n'en a pas le monopole indépendamment du monde. Son énergie d'universalisme a le monde pour cadre et champ d'action visibles. A l'époque ancienne, l'Etat concentrait toute la puissance et la gloire du monde. La définition des rapports entre l'Eglise et l'Etat épuisait, pour ainsi dire, le problème Eglise-monde. Depuis, le monde et la société se sont considérablement diversifiés. De nouveaux lieux d'universalité sont apparus: ainsi le mouvement ouvrier à la suite de la première révolution industrielle. Il y a eu, à la suite, l'émergence du secteur tertiaire, celui des services. L'électronique et l'informatique, avec les ordinateurs, constituent une troisième révolution technologique qui recentre encore davantage le cadre de l'universalité humaine. Des minorités dites agissantes peuvent s'en emparer ou du moins se livrer à des blocages et des manipulations extrêmement dommageables... Les savants, les instituts scientifiques, les universités se voient investis de lourdes et urgentes responsabilités touchant l'ensemble des hommes.

La mission chrétienne ne rencontre plus seulement des résistances inorganisées, d'ordre sociologique, mais de véritables contre-missions religieuses ou idéologiques...

Au plan de la morale, à la quête de plus de liberté et de justice, s'est substituée l'exigence de la permissivité qui atteint un état limite, suicidaire pour la société humaine...

Des problèmes à échelle planétaire ont surgi que l'Eglise ne peut ignorer et qu'elle ne peut affronter seule, dans un splendide et inefficace isolement, car ils touchent à la survie de l'espèce humaine: problème de la paix internationale, celui de la faim dans le monde, celui de l'explosion et des déséquilibres démographiques...

LA COMMUNION DES SAINTS

L'expression théologique la plus appropriée au thème de l'universalité du salut me semble être la communion des saints, l'intercession universelle des vivants et des morts. Ceci concerne les quelques centaines de milliards d'hommes qui ont vécu depuis l'apparition de notre espèce. Mais doit-on exclure les myriades et myriades d'anges, mais aussi tout ce qui respire dans l'univers créé par Dieu et qui dépasse infiniment notre univers humain. On ne peut concevoir l'universalité que par référence à Dieu, dans la foi et la prière... Dans cette perspective de grandeur infinie et, à la fois, d'humilité, me serait-il permis de poser à nos amis protestants la question de la prière pour les défunts? Car qu'est-ce qu'une prière universelle qui exclurait la majeure partie de l'humanité?

Günther SCHNURR

(Heidelberg)

L'UNIVERSALITÉ DU SALUT DANS LA PERSPECTIVE LUTHÉRIENNE ET CALVINISTE

Ma contribution concernant notre problème — l'universalité du salut — traite de la perspective de la théologie des Églises de la Réforme. Plus précisément, elle traite des perspectives des deux courants confessionnels majeurs au sein du mouvement large et différencié de la Réforme. Déjà cela indique une première difficulté préliminaire : il s'agit d'opérer un certain choix du fait que l'on demande la perspective «protestante», donc panprotestante ou panréformatrice, et que dans le dialogue œcuménique, la perspective protestante enclot beaucoup plus que les seules perspectives luthérienne et calviniste.

A ce choix se joint une deuxième difficulté. Elle consiste dans le fait bien remarquable que justement concernant notre problème — l'universalité du salut — il y a une unanimité originaire et élémentaire chez les grands réformateurs, d'une part Martin Luther, d'autre part Huldreych Zwingli et Jean Calvin — mais que cette unanimité s'est déjà brisée chez les générations suivantes. Cet état de choses a conduit bien vite à des polémiques assez compliquées. Dans ces controverses interprotestantes, la distanciation par rapport au propre aïeul fut souvent masquée par des invectives d'autant plus grossières contre les antagonistes confessionnels. C'est seulement peu à peu que l'on s'est rapproché, tardivement et — c'est pénible à enregistrer — sans aucune expression de concession démonstrative, mais vraiment inéluctablement contraint par les cris interrogatifs de l'homme, surtout par les cris aussi sérieux qu'urgents que la philosophie et l'histoire de l'esprit moderne ont présentés et évoqués en vue du sens ou du non sens de l'histoire globale de l'homme et en vue du sens ou du non sens de l'histoire cosmique, de l'histoire tout court.

Mon exposé a deux parties. La première donne une brève esquisse historique qui doit nécessairement, par endroits, être incomplète. La seconde essaie de mettre en relief quelques points de vue actualisables dans et pour le dialogue œcuménique.

I. APERÇU HISTORIQUE

1. L'expérience originaire de la Réforme est celle de la consolation de la conscience désespérée par l'exclusive « sola gratia » de la justification de l'impie « propter solum Christum ». Celle-ci, la justification « sola gratia et sola fide », est fondée dans le « Heilsratschluss » libre et miséricordieux de Dieu et, d'autre part, fonde la certitude du salut promis et, de même, le ferme espoir de la réalisation plénière et définitive de ce salut promis. La question pressante du salut, d'un salut « pro me », conduisant au gouffre du désespoir absolu de l'absurde, fait l'expérience surprenante de trouver sa réponse dans la promesse libératrice de la grâce inconditionnée de Dieu en Jésus Christ. Cette promesse de l'évangile renvoie d'une part à son origine, à la décision destinante de Dieu miséricordieux, et crée ainsi, d'autre part, la certitude inébranlable de la validité du salut pour moi (*pro me*) et la confiance en son effectuation totale. C'est la « certitudo fidei » en opposition à la « securitas » autocratique et à l'autodestruction par le doute et le désespoir dans l'infinie rotation du questionnement.

2. Dans la facticité de croyance et d'incrédulité, la Réforme — autant que l'Eglise primitive — voit l'effet de la vigueur séparatrice de l'évangile : la prédication de l'évangile — et par là le prédicateur comme messager qui, en remplacement de Jésus Christ, invite à la réconciliation (*2 Cor* 5,18-20) — est une odeur, odeur de mort vers la mort pour les uns, parfum de la vie vers la vie pour les autres (*2 Cor* 2,16). La prédication du Christ crucifié pour notre salut est un scandale pour les Juifs et une folie pour les Grecs, mais puissance et sagesse divines pour ceux qui, Juifs et Grecs, ont la vocation (*1 Cor* 1,23s). L'homme naturel — c'est-à-dire l'homme pécheur — n'aperçoit rien de l'Esprit de Dieu, du « Christus

praesens»; «tout lui est folie; mais nous, nous avons le sens du Christ» (*1 Cor* 2,14.16c).

C'est pourquoi la Réforme autant que la tradition occidentale depuis Saint Augustin comprend l'élection comme sélection, comme triage: «electio ex massa perditionis et damnationis». Le salut donc est interprété en un sens particulariste. L'événement toujours surprenant, la prédication concrète, l'événement de la séparation des hommes face à l'acte prédicatoire, expérience de séparation affectant jusqu'à la sphère intime des hommes en communauté de sort, telle qu'elle est reflétée dans *Lc* 17,34, est compris par la Réforme - autant que par la tradition de l'Eglise — comme élection des uns et exclusion définitive des autres. Conformément à cela, on refuse de nouveau avec rigueur la notion d'*Apocatastasis pantôn*.

L'article 17 de la *Confessio Augustana* enseigne sous le titre «De reditu Christi ad iudicium»: «Impios autem homines et diabolos condemnabit (Christus), ut sine fine crucientur. Damnant (ecclesia apud nos) Anabaptistas, qui sentiunt hominibus damnatis ac diabolis finem pœnarum futurum esse»([1]). Assurément, l'argument du remplacement des anges déchus et par là aussi l'argument du «certus numerus» tombe, ou du moins passe à l'arrière-plan.

3. Ce particularisme du salut trouve son expression la plus sévère dans le «De servo arbitrio» de Luther (1525) lors de son débat avec Erasme (concernant l'argument d'une volonté double, voire même contradictoire en Dieu-même) aussi bien que dans la doctrine de la «praedestinatio absoluta gemina supralapsaristica» de Calvin: «Praedestinationem vocamus aeternum Dei decretum, quo apud se constitutum habuit, quid de unoquoque homine fieri vellet. Non enim pari conditione *creantur* omnes: sed aliis vita aeterna, aliis damnatio aeterna praeordinatur» (*Inst.*, III,21,5). Cette théorie apparaît le plus rigoureusement et le plus durement dans l'exposition générale systématique de la «Dekretenlehre» (théorie des décrets) de Théodore de Bèze, surtout dans sa «Summa totius Christianismi» (1555). Mais c'est Zwingli, qui déjà bien avant, en rationalisant les choses plus rapidement et sans entraves, a énoncé cette théorie dans son écrit «De providentia Dei anamnema» (1530). Zwingli rompt

---

(1) Cet article est l'un des très rares qui furent acceptés sans réserve par la «Confutatio». C'est pourquoi l'«Apologia» de Melanchton ne fait que le répéter en le raccourcissant.

avec la médiation salvatrice de l'Eglise et défend également l'élection des païens de l'Antiquité en escamotant pour ainsi dire Jésus Christ. L'inconvenance de cette pensée(2) est cause de ce qu'après sa mort prématurée et violente en 1531 sa théorie prédestinatoire ne joue presque plus aucun rôle. Heinrich Bullinger déjà, son successeur à Zurich, prend ici un ton tout à fait autre.

4. Mais bientôt des mouvements opposés s'élèvent au sein des deux partis de la Réforme, des Luthériens et des Réformés ou Calvinistes, auxquels les Zwingliens se joindront officiellement à partir du *Consensus Tigurinus* (1549). En gros, on peut dire que trois raisons surtout y sont pour quelque chose :

a) L'effroi devant le «decretum horribile», dont la dureté cruelle est expressément admise par Calvin lui-même (*Inst.*, III,23,7),

b) la menace de l'humanité de l'homme par la conséquence logico-calculatrice d'un tel décret supralapsaristique éternel, — menace en tant que l'homme, image de Dieu, est un être historique, se réalisant par ses décisions propres et conformes à son unique vie donnée par Dieu : le danger d'une manière de vivre irresponsable, le danger de nonchalance, d'indifférence, de libertinage et de frivolité, le danger d'un mépris irrespectueux de la prédication et de la vocation,

c) surtout et crucialement le respect pour les témoignages vraiment non éliminables de la Sainte Ecriture. On invoque principalement *1 Tim* 2,4, on s'autorise de *Jean* 3,16 ; *Rom* 5,18 ; 11,32 et *Col* 1,20, mais on s'appuie aussi sur *Ezéch* 33,11 ; *2 Petr* 3,9 et *1 Cor* 15,21-28.

5. D'une part, ces raisons d'opposition mènent à plusieurs essais de correction intra-calvinistes. Ici il faut nommer avant tout :

a) Samuel Huber (1547-1624). Huber fut contraint en 1588 d'abandonner ou plutôt de fuir l'Eglise de Berne. Mais, partisan de l'universalité du salut, défendue par lui avec passion et intransigeance, il se prit aussitôt après de querelles avec l'orhodoxie luthérienne à tel point qu'il lui fallut finir sa vie comme prédicateur vagabond (et non itinérant). Entretemps, Samuel Huber a été connu et reconnu comme précurseur de Karl Barth dans quelques points prospectifs de notre

---

(2) Cette pensée, absolument inacceptable pour Luther, est aussi refusée par Calvin qui, comme Luther, met en relief Jésus Christ comme «fundamentum et speculum electionis». Cf. sa critique de la spéculation de Zwingli dans sa lettre à Bullinger (CR 14,253).

problème([3]), bien que Karl Barth lui-même ne fasse jamais mention de Huber. Ses thèses particulièrement caractéristiques sont : (1) Jésus Christ est mort pour tous([4]), (2) tous sont non seulement rejetés, «reprobati», et cela à cause de leur nature corrompue par le péché originel — *Eph* 2,3 : τέκνα φύσει ὀργῆς([5]) —, mais simultanément élus par l'action salvifique de Dieu en Jésus Christ crucifié et ressuscité.

b) Le mouvement oppositionnel qui eut l'influence la plus marquante est celui de l'Arminianisme ou du Rémonstrantisme aux Pays-Bas. Il insistait de nouveau sur l'intentionnalité universellement salvatrice de la mort de Jésus Christ.

c) Enfin il faut mettre en relief la théologie huguenotte de l'Académie de Saumur et dans celle-ci surtout la théorie du «Syllogismus gratiae hypotheticus» de Moyse Amyrault([6]).

Tous ces essais de correction ont été refusés avec intransigeance et avec une sévérité acerbe par la «altreformierte Orthodoxie», particulièrement par le Synode de Dordrecht (1618/19) et par la «Formula consensus Helvetica» (1675). Toutefois, la théorie d'Amyrault fut reconnue comme orthodoxe par les synodes nationaux des Huguenots à Charenton (1637) et à Alençon (1644/45)([7]). L'obédience à la «Formula consensus Helvetica», rigidement anti-salmurienne, restait pour sa part bornée à Genève. Bien caractéristique pour ces débats intra-calvinistes est l'exemple de la famille genevoise des Turretini : Franciscus (1623-87) était avec Heidegger de Zurich un des co-auteurs de cette *Formula* fameuse, ce reliquat orthodoxe de 1675 ; Jean Alphonse (1671-1737), son fils, a été à Genève le représentant d'une théologie libérale qui dégénéra bientôt en un rationalisme plat, en raison duquel fut abolie déjà en 1725 l'obédience à la *Formula consensus*.

Beaucoup plus significative, par contre, est la réserve observée chez d'autres représentants de la théologie réformée en ce qui concerne notre

(3)   Cf. Otto Weber, *Grundlagen der Dogmatik II*, 483,485,502sq,528.

(4)   *Theses*, Jesum Christum esse mortuum pro peccatis totius generis humani (1590).

(5)   Il est donc évident qu'ici φύσις autant que ψυχικὸς ἄνθρωπος en *1 Cor* 2,14 ne signifie pas la naturalité originairement créaturelle de l'homme, mais sa naturalité radicalement corrompue par le péché originel — au sens donc de la «seconde nature» de Blaise Pascal.

(6)   Traité de la prédestination et de ses principes (1634); Dissertationes theologiae quattuor (1645).

(7)   Amyrault se rangeait lui-même du côté de l'orthodoxie de Dordrecht et donnait — par opposition à Arminius — à l'universalité du salut le sens de virtualité.

question litigeuse. La théologie strictement christologique de Heinrich Bullinger s'est orientée décidément et expressément vers la prédication concrète et proprement existentielle de l'évangile. La conséquence de cet aspect positif et fondamentalement affirmatif est qu'elle rejette la «praedestinatio absoluta gemina»: «Audienda est enim praedicatio evangelii, eique credendum est et pro indubito habendum, si credis ac sis in Christo, electum te esse. Pater enim praedestinationis suae aeternam sententiam... in Christo nobis aperuit... Christus itaque sit speculum, in quo praedestinationem nostram contempletur»(8). Ici, Bullinger actualise la pensée de Luther et de Calvin, selon laquelle Jésus Christ est tellement «speculum electionis», que par ce *speculum* concret est coupé court définitivement à tout transcendantalisme spéculateur(9). De même il est symptomatique que le «Heidelberger Katechismus» (1563), sans doute l'écrit confessionnel le plus célèbre et le plus répandu du Calvinisme, omet la question de la prédestination, précisément parce qu'il connaissait les querelles pénibles autour de ce problème(10).

6. D'autre part, il s'est développé dans le Luthéranisme une théorie de la prédestination relativiste, qui s'est assimilée au Molinisme. Le premier aiguillage se trouve déjà chez Melanchton. Celui-ci a, dès le début, strictement exclu toute spéculation sur une volonté contradictoire en Dieu, et plus tard, de plus en plus fortement, il a accentué l'universalité de la promesse de l'évangile par rapport aux «periculosae imaginationes de praedestinatione»: «Sicut necesse est scire Evangelium esse gratuitam promissionem, ita necesse est scire Evangelium promissionem universalem esse, hoc est, offerri et promitti omnibus hominibus

---

(8) *Confessio Helvetica posterior* (1566), art. 10.

(9) La distanciation déjà assez grande de Bullinger par rapport à son ancien ami Zwingli, après la mort de celui-ci, apparaît aussi dans ce point. Ici, en vue de la consolation de la conscience tourmentée par la «tentatio praedestinationis», «qua vix alia est periculosior», il se laisse diriger par l'exhortation de Luther à voir et à fixer les regards uniquement sur le baptême, sur le fait d'avoir été singulièrement et personnellement baptisé en Jésus Christ (*Ib.*, proposition finale).

(10) En ce qui concerne ce point il faut rappeler (1) les attaques autant agressives que défensives, mais, en tout cas, implacables du combattant passionné pour la «pura doctrina», Tilemann Hebbus à Heidelberg (1559/60) non seulement contre la doctrine de la sainte Cène, mais aussi contre la doctrine de la prédestination des calvinistes et (2) le conflit à Strasbourg, depuis 1561, entre Hieronymus Zanchi, réformé, et Johannes Marbach, luthérien; ce conflit a occasionné la «Formule d'union ou de consensus» de Strasbourg (1563) qui est devenue ensuite le pas le plus important en direction de la «Formula Concordiae» (1577) du luthéranisme.

reconciliationem» ([11]). La «causa electionis» est exclusivement la miséricorde divine([12]). C'est pourquoi parler de l'élection comme de la justification est seulement permis dans la reconnaissance existentielle de Jésus Christ en saisissant la parole de l'évangile (vox evangelii)([13]). Cependant, parce que la miséricorde de Dieu en Jésus Christ est révélée dans le Verbe et parce que ce Verbe doit être accepté, Dieu veut que, dans le croyant, la saisie de la promesse concourt à la miséricorde de Dieu([14]). Mais cela signifie que la justification est conditionnée par l'acceptation fidèle de l'évangile([15]); et cela veut dire que la puissance du «liberum arbitrium» de l'homme pécheur invité à la foi est par là revivifiée comme «aliqua in accipiente causa, cum qua Spiritus sanctus simul est efficax» et conditionne ainsi la certitude absolue du salut, «haud dubie electos esse eos, qui misericordiam propter Christum promissam fide apprehendunt nec abiiciunt eam Fiduciam ad extremum»([16]). La protestation de Melanchton contre l'argument luthérien de la volonté double et contradictoire en Dieu est justifiée, comme son appel rafraîchissant à «entendre et prendre à cœur» la «viva vox evangelii»: «Orditur Deus et trahit verbo suo et Spiritu sancto, sed audire *nos* oportet et discere, id est apprehendere promissionem et assentiri, non repugnari, non indulgere diffidentiae et dubitationi»([17]). Néanmoins, son conditionnement synergistique du salut reste équivoque. Il culmine dans la thèse qu'ouvertement (aperte) «causam reprobationis esse pertinaciam adversus Filium (= Jesum Christum)»([18]).

La *Formula Concordiae* (1577), dans son article 11, continue la voie de Melanchton et enseigne une élection purement libre en Jésus Christ, qui cependant peut devenir inefficace par l'incroyance. Avec le même instinct biblique que Melanchton, elle s'oppose à une volonté divine en contradiction avec elle-même. Elle enseigne une prédestination relativiste,

---

(11) CR 21,738.
(12) CR 21,915sq.
(13) CR 21,914.
(14) CR 21,919: «Miseria est causa electionis, sed hanc oportuit in verbo revelari et verbum accipi oportet... Vult igitur cum misericordia concurrere apprehensionem in accipiente promissionem». Cf. 916: «in accipiente concurrere oportet apprehensionem promissionis seu agnitionem Christi».
(15) «Non aliam iustificationis, aliam electionis causam quaeramus» (CR 21,914).
(16) CR 21,916.
(17) *Id.*
(18) CR 21,918.

conditionnée par la préscience divine concernant la réaction croyante ou mécréante de l'homme en face du salut universellement offert([19]). Le colloque de Montbéliard (Mömpelgard) en 1586 atteint pour un court moment une frêle base commune entre Calvinistes et Luthériens. Sur ce point, il faut mentionner respectueusement l'Eglise de Württemberg et sa fonction pacificatrice dans le développement des Eglises de la Réforme : l'élection éternelle de Dieu ne peut être considérée et contemplée qu'en Jésus Christ seul et nullement en dehors de lui. Par ce dénominateur commun, on affirmait mutuellement la délimitation par rapport à la tradition et Augustin, auxquels on reprochait de spéculer abstraitement sur Dieu « en soi » et l'homme « en soi ».

Peu après, l'orthodoxie luthérienne découvrit définitivement et systématiquement les cartes qui étaient encore restées cachées chez Melanchton et dans la *Formula Concordiae*. Elle reprit les distinctions scolastiques — $\theta\acute{\epsilon}\lambda\eta\mu\alpha$ $\pi\rho\circ\eta\gamma\circ\acute{\upsilon}\mu\epsilon\nu\circ\nu$ = voluntas Dei universalis/generalis antecedens, $\theta\acute{\epsilon}\lambda\eta\mu\alpha$ $\acute{\epsilon}\pi\acute{\circ}\mu\epsilon\nu\circ\nu$ = voluntas Dei specialis/particularis consequens/subsequens — et elle enseigna conformément à cela : élection et réprobation sont conditionnées par la puissance décisive de la croyance ou incroyance de l'homme, prévue par Dieu en vertu de sa « scientia media ». La différence avec la théorie moliniste n'est pas essentielle : La foi, $\acute{\circ}\rho\gamma\alpha\nu\circ\nu$ $\lambda\eta\pi\tau\iota\kappa\acute{\circ}\nu$, comme puissance décisive, prend la place des « (praevisa) merita et demerita ». De cette manière, l'œuvre réformatrice (basée sur la Bible) de Luther et Calvin est évidemment trahie. Il faut ajouter une petite remarque : la scolastique protestante traditionnelle enseigne, comme attribut des élus, la « paucitas », qui, cependant, est moins constituée par le « certus numerus » des anges déchus que par le « il y a beaucoup d'appelés mais peu d'élus » (*Mt* 22,24). La théologie luthérienne d'aujourd'hui fait la révision de ce conditionnement semipélagien et parle du « Gnaden- und Verwerfungsratschluss », mais réclame à juste titre l'incomparabilité, l'asymétrie et le non-parallélisme de l'élection et de la réprobation divines. A bon droit, Paul Althaus et Gottlob Schrenk indiquent, par exemple, que la notion d'une « réprobation éternelle » ne se trouve nulle part dans le Nouveau Testament, et mettent l'accent sur la non-identité, en fin de compte, de l'endurcissement et de la réprobation([20]). Edmund Schlink argumente de la même façon et souligne qu'en

---

(19) Cf. la critique du luthérien Paul Althaus, *Die christliche Wahrheit*, 623.
(20) *Ibid.*, 628.

Apoc 17,8 «au livre de la vie n'est pas opposé un livre de la mort, aux enregistrements dans celui-là ne sont point opposés des enregistrements dans celui-ci, mais seulement une non-enregistration»(²¹).

7. La doctrine réformatrice et «altprotestant» orthodoxe de l'universalité de l'offre du salut (aussi chez Calvin: «vocatio generalis» par l'invitation du «verbum externum praedicationis verbi divini», *Inst.* III,24,8) n'appréhende pas le monde au sens d'aujourd'hui. Elle reste au contraire bornée à l'Eglise et fixée concrètement à la communauté ecclésiale dont on peut faire l'expérience sur place, qu'il s'agisse d'un pays ou d'une ville et au «corpus christianum» occidental de son temps. Il est symptomatique que Melanchton par exemple traite l'ensemble de ces problèmes exclusivement comme question du paroissien: «Totum genus humanum» est immédiatement lié à la présence de l'église d'un endroit et d'un pays spécifiques, qui souvent n'était que la paroisse d'une petite ville libre de la «Ligue souabe» (*Schwäbischer Bund*).

Concernant cette situation qui, sans doute, est conditionnée primairement par la politique séculière, il est caractéristique que longtemps on (et surtout l'othodoxie luthérienne) n'a pas vu la tâche de la mission. C'est seulement le piétisme qui amena ici un revirement effectif.

Toutefois on ne peut pas conclure pour cela, qu'en ces temps-là, la perspective moderne de «l'Eglise pour le monde» (Dietrich Bonhoeffer) ait été exclue par principe.

8. Malgré la condamnation officielle de l'*Apocatastasis pantôn*, il faut constater par la suite que dans les deux partis réformateurs des voix toujours plus nombreuses s'élèvent en direction de la réconciliation universelle. Parmi ces voix, la plus importante fut celle de l'universalisme anglo-nord-américain, dont les représentants stimulent le peuple ecclésial, évoquent une conscience et un sentiment de solidarité et arrivent à un niveau de réflexion en éthique sociale et responsabilité mondiale.

Du côté de l'Europe continentale on doit rappeler la fonction médiatrice et innovatrice du Salmurianisme français et de l'Arminianisme hollandais. Cependant, la pénétration de ce dernier surtout par le Socinisme favorise aussi une attitude rationalisante et principialisante. Et

---

(21) *Ökumenische Dogmatik*, 799. Cf. déjà Melanchton: «Iam decretum est te reiiciendum esse, non es scriptus in numero electorum etc. Adversus has imaginationes discamus voluntatem Dei ex Evangelio, agnoscamus promissionem esse universalem, ut fides et invocatio accendi possit» (CR 21,919).

c'est pourquoi le courant principal de cet universalisme, se constituant idéologiquement dans un monisme ontologique fondamental, s'est établi comme Unitarisme ou Unitarianisme antitrinitaire.

Parmi les voix de l'Europe continentale, le moment principaliste est encore plus fortement au premier plan. Il s'agit là, avant tout, de conceptions individuelles ontologiquement postulatoires et systématiquement théorisantes, comme celles de Johann Heinrich Jung-Stilling, Johann Kaspar Lavater, Friedrich Daniel Schleiermacher.

Il faut nommer ici en particulier la mystique théosophe de Jakob Böhme qui, lui-même inspiré par les traditions hermétique et cabalistique, a exercé l'influence la plus importante, inépuisée jusqu'à nos jours.

a)   Son influence a amené une floraison de l'*Apocatastasis pantôn* au sein du piétisme du 17e et 18e siècle. A cette époque se formèrent des communautés (assez grandes surtout à Württemberg) qui restaient fidèles à l'église traditionelle [22]. Les représentants principaux de cette floraison de l'*Apocatastasis pantôn* sont les époux Johann Wilhelm (1649-1727) et Johanna Eleonora (1644-1724) Petersen, Johann Albrecht Bengel (1697-1752) — il préconisait la réconciliation universelle comme doctrine ésotérique, mais réfutait absolument sa proclamation vulgarisante *ex cathedra* —, Christoph Friedrich Oetinger (1702-1782), Philipp Matthäus Hahn (1739-1790) et Johann Michael Hahn (1758-1819). Parmi ceux-ci l'effet ultérieur d'Oetinger sur l'éveil souabe du 19e siècle est spécialement remarquable, surtout sur les deux Blumhardt, père et fils. Son influence est ressentie dans le socialisme religieux de Hermann Kutter et Leonhard Ragaz, chez Karl Barth, Eduard Thurneysen, Emil Brunner et Paul Tillich.

b)   La même influence, enrichie par les impulsions des mouvements qu'on vient de mentionner et, au surplus, par l'*Identitätsphilosophie* de l'idéalisme allemand (Schelling et Hegel), débouche au sein de la théologie protestante — luthérienne autant que calviniste — du 19e siècle sur des conceptions trinitaires d'un processus théocosmogonique: Karl Daub, Philipp Konrad Marheineke, Alois Emmanuel Biedermann, Richard Rothe. De toute évidence cette influence apparaît en notre siècle chez Ernst Trœltsch et Paul Tillich et depuis peu chez Jürgen Moltmann. Il faut dire que Paul Tillich — contrairement à d'autres — a, dès le début, joué cartes sur table.

---

(22)   Cf. Friedhelm Groth, *Die 'Wiederbringung aller Dinge' im württembergischen Pietismus*, 1984.

Suite à ce court abrégé historique de notre problème, il est possible autant que nécessaire de hasarder la thèse différenciée — concluante et ouverte — suivante: Un chacun doit concéder

1. qu'il est inévitablement affecté par ce problème,
2. qu'il doit le respect aux derniers cris de l'histoire de ce problème, mais aussi
3. qu'il faut faire la distinction entre, d'une part, l'intention, et d'autre part, la raison et l'explication de la solution de ce problème.

«Wer Ohren hat zu hören der höre» (*Mt* 11,15; 13,9; *Apoc* 2,7) — «que celui qui a des oreilles pour écouter, écoute» — cette invocation personnelle n'est-elle pas le seul critère de la responsabilité authentique de la foi en Jésus Christ?

II. POINTS DE VUE ACTUALISABLES

1. «Nulla salus extra Christum pro nobis crucifixum et resurrectum»: *Act* 4,12; *Jean* 3,16; *Hebr* 13,8. Il faut que cette confession du christianisme primitif soit mise en valeur encore aujourd'hui sans restriction face à toutes les religions autant que face à tous les mouvements et systèmes de salut, *Weltanschauungen*, idéologies et philosophies qui ont formellement toutes un caractère sotériologique. Toutes celles-ci, même les programmes expressément athéistes, promettent sens, futur, perfection etc..., se réclament de la sotériologie et entrent pour cela, par principe, en querelle avec la vérité chrétienne qui, dans le sens biblique, est identique au salut. La prédication chrétienne du salut ne peut pas renoncer à articuler face à celles-ci cette confrontation même. La croyance en Jésus Christ, en tant que réponse à la décision de Dieu pour nous, est exclusive et, en ce sens, objet de confrontation.

Cette exclusivité chrétienne est, à proprement parler, une exclusivité du salut comme promesse du salut par la réalité salvifique de Dieu. Elle n'est en aucun cas l'exclusivité du cri vers le salut, de la soif brûlante et du désir de rédemption des désespérés. La reconnaissance réformée de la «iustificatio impiorum» renvoie de manière sobre et réaliste au «simul iustus et peccator» du gracié, à sa dépendance élémentaire de la grâce de Dieu qui toujours de nouveau le met dans le droit chemin. Elle lui rappelle sa propre impuissance et insuffisance vis-à-vis du salut; il n'a absolument aucun avantage sur les autres dans la voie du salut. A l'égard de la potentialité du « facere quod in se est » précisément, elle le ramène avec les autres dans la solidarité de perplexité et d'embarras. Cette perplexité — manifestation du fait du péché originel — prenant des proportions globales dans l'histoire moderne, ne peut pas être éliminée, mais seulement camouflée par un dialogue des religions, aussi désirable qu'il soit par ailleurs. Mais que la racine de cette perplexité soit vaincue au fond, non par nous, mais par une action de Dieu seul en Jésus Christ seul, c'est le kérygme de l'évangile du Nouveau Testament, dont la proclamation au monde entier est le mandat personnel et indispensable de la foi chrétienne. Au moment exact et dans l'acte même d'exercer ce mandat indispensable, la foi chrétienne rompt et franchit le dialogue des religions et des sytèmes de salut. Et cela signifie inévitablement : mission.

Il faut mettre en relief le fait qu'il s'agit ici d'une thèse de la théologie protestante actualisant Luther autant que Calvin. Elle est permise et inéluctable seulement dans la perspective du « simul iustus et peccator » de la foi chrétienne vivante ici-bas. Mais cette thèse, dans l'optique réformatrice, est non seulement impossible, mais aussi interdite dans toute perspective qui s'imagine une libération du péché originel dans notre vie ici-bas. Il est évident que cette thèse protestante est une contribution controversée, mais j'espère aussi utile dans le dialogue œcuménique.

Correctement entendue, cette position ne signifie ni manque de respect ni affront à la culture et à l'humanité de ces peuples, religions, Weltanschauungen civilisatrices et systèmes intentionellement sotériologiques et, dans ce sens, salvifiques. Quel fidèle de la foi chrétienne pourrait jamais avoir la témérité de prétendre qu'il soit plus humain, qu'il ait un avantage en culture, matérielle et spirituelle, ou dans sa manière d'être en face de l'autre ? Cependant, le soupçon que cette position réformée et biblique soit identique avec un tel affront inhumain, est non seulement aussi vieux que l'apparition du kérygme néotestamentaire, mais ne cesse de se répéter à travers l'histoire de l'Eglise. La reconnaissance réformée du « simul iustus et peccator » peut aider à mettre en évidence que ces soupçons et ces reproches sont en fait déplacés. Mais si néanmoins ces reproches et — aujourd'hui malheureusement presque en connexion avec eux — les reproches d'intolérance, d'absolutisme, d'impérialisme et de colonialisme, de fanatisme, d'étroitesse d'esprit etc. continuent à se renouveler — et rien ne laisse supposer que ces reproches et soupçons finalement se tairont —, la foi chrétienne ainsi que la théologie chrétienne doivent s'accomoder d'eux, non sans chagrin et à la légère, mais bien sans angoisse. Il n'en va pas autrement. Car il faut reconnaître, et fût-ce en grinçant des dents, que dans la perspective réformée deux subterfuges très fascinants et particulièrement séducteurs à notre époque sont interdits à la théologie chrétienne une fois pour toutes :

a)   Le subterfuge bien fameux qui promeut et désigne les autres en sous-main comme «chrétiens anonymes» même contre la volonté et le *Selbstverständnis* expressément articulés par eux-mêmes, car souvent ils poursuivent une propagande et une mission radicalement antichrétienne.

b)   La mise en scène d'un jeu combinatoire de voies de salut ordinaires et extraordinaires, où l'on se casse la tête (soi-disant spirituelle) sur la question de savoir si la foi chrétienne est la voie ordinaire ou au contraire la voie extraordinaire. Toutes ces voies déviationnistes sont coupées par l'exclusivité de la réalité du salut divin par et en Jésus-Christ.

C'est un mérite de la théologie dialectique de Karl Barth à Dietrich Bonhœffer d'avoir fait valoir de nouveau le «solus Christus» en recourant à la Réforme. Il confirmera son actualité non seulement en face du sécularisme et de la profanité modernes, mais aussi envers des contrecourants modernes tels que, par exemple, les mouvements religieux de méditation transcendantale. Certes, ces tendances essaient de transcendantaliser et de fonder religieusement la vie et la façon de vivre, qui est en péril de régresser vers un uni-dimensionalisme technico-rationaliste. Mais il est notoire, d'autre part, que ces tendances passent à côté du «proprium» du témoignage chrétien.

Ce «solus Christus» doit être mis en valeur également envers la judaïté. En effet, Israël se trouve sur un plan entièrement différent des religions. En raccourci : Jahwe est le père de Jésus Christ. Ni Zeus, ni Krischna ni aucune autre divinité suprême, mais Jahwe seul, le Seigneur Créateur et Juge adressant sa parole à Israël, était et est présent comme Rédempteur en Jésus Christ. C'est justement pourquoi l'on ne peut pas avoir l'évangile néotestamentaire autrement qu'avec le témoignage de l'Ancien Testament. Pourtant : Israël a refusé jusqu'à nos jours l'œuvre salvifique de Dieu en Jésus Christ. Et pour cela, il faut que l'Eglise proclame aux Juifs l'évangile du salut pour Israël autant que pour le monde entier comme salut en Jésus Christ et non en dehors de lui. Cela veut dire précisément : mission et non seulement dialogue.

2. Le salut au sens chrétien — salut « propter Christum pro nobis crucifixum et resurrectum » — n'est pas primairement achèvement d'un inachevé, maturation d'un non mûr, mais « rendre-un » d'un rompu, sauvetage d'un perdu dans une impuissance sans issue. Le salut est la réponse « malgré tout » de la grâce de Dieu à la désobéissance de sa créature et, en ce sens, rédemption : réintégration d'une intégralité corrompue. Le salut en tant que tournant de l'histoire (« Aonenwende ») est aussi changement de l'histoire de l'existence. Il faut accentuer ce sens du salut face à la compréhension de cette notion comme a) perfectionnement autarcique, par exemple, dans le pathos de la Renaissance et du siècle des Lumières, b) *Selbstverwirklichung* évolutive ou dynamo-processive.

D'autre part, le salut n'est pas simplement le retour à l'ordre originaire, tout *restitutio*, *reparatio* qu'il soit. Cela doit être mis en évidence par rapport à l'interprétation du « status integritatis » au sens d'une perfection surhumaine d'Adam, interprétation augustinienne et traditionnelle pour les églises occidentales [23]. Le « surplus de la grâce » en opposition à la pure « restitutio ad integrum » est la re-création de l'œuvre rédemptrice « malgré tout ». Le salut, au sens chrétien, c'est donc amener au but intentionnel de la création originaire, en ce sens que la chute pécheresse dans l'inanité du seulement « avoir été », dans la mort, est interrompue et retournée vers la vie par la miséricorde de Dieu. Ainsi, le salut n'est ni être vitalisé progressivement dans la route prise, ni être ramené au zéro du point de départ. Mais le salut est le revirement de soi sur le chemin faux, la remise en route vers le but auquel on est originairement destiné mais que l'on a raté par sa propre responsabilité et que l'on ne pourra jamais atteindre par ses propres forces.

3. La volonté salvatrice de Dieu et l'intention de son œuvre salvifique en Jésus Christ sont universelles. C'est pourquoi l'invitation de l'évangile est par principe universelle au sens d'une proclamation affirmativement promettante. La prédication de l'évangile à l'égard de ce salut promis et ouvert par Dieu doit s'adresser à tout le monde.

4. Face à cette universalité du salut il faut noter le fait historiquement évident d'une double particularité : d'une part, celle de l'offre du salut, d'autre part, l'acceptation de ce salut.

---

(23) C'est pourquoi je préfère le terme « intégralité » au terme « intégrité ».

a) L'offre du salut est destinée à l'«homo viator» de manière particulariste parce qu'il n'y a ici-bas d'autre possibilité que celle du témoignage concret des membres concrets de la communauté concrète des fidèles (communio sanctorum = ecclesia). Non seulement le genre humain avant Jésus Christ, mais encore beaucoup de peuples et de générations après Jésus Christ s'en sont allés sans que l'annonce de l'évangile ait jamais pu les atteindre. Encore aujourd'hui, à l'ère où la catholicité globale au moins dans le sens de la «Uhrzeitlichkeit» (Karl Rahner) est atteinte, (ère jadis implorée comme manifestation triomphante de l'espérance de la foi), des hommes innombrables meurent et mourront sans avoir jamais rencontré Jésus Christ. Cependant, dans tous les cas et pour chaque cas singulier, il est légitime d'affirmer que le salut de Dieu en Jésus Christ leur parviendra. Nous sommes exhortés à nous rappeler le fond de notre espoir articulé dans l'article du «descensus ad inferos»([24]). Cette espérance doit être vive et vivante, sans qu'il faille pour autant s'élancer dans la différenciation aussi érudite que téméraire de la théorie traditionnelle du «limbus». Car certes le témoignage médiateur du salut comme témoignage de témoins réels, témoins personnels, concrets et bornés par leur limitation de créature, ce témoignage est fatalement celui d'êtres en délai, se réalisant dans la soumission à un délai. Mais malgré la limitation fatale de la vie, ce qui compte est que «la volonté salvatrice de Dieu envers le genre humain n'est pas limitée par les bornes de l'évangélisation terrestre, et il n'est pas permis de la comprendre dans le sens particulariste de ces bornes terrestres»([25]).

Du fait qu'elle rend témoignage au milieu d'un monde déchu et appartenant elle-même à ce monde déchu, l'Eglise, est néanmoins endroit, fontaine, et source du salut. Certes, elle ne l'est pas en qualité d'un phénomène d'hypostase ou d'une institution exclusivement sacramentelle et restreinte. Elle l'est comme le peuple pauvre des pécheurs graciés qui toujours de nouveau doivent se consoler par la grâce de Dieu. Elle l'est véritablement comme «communio sanctorum» qui ici-bas est à jamais «communio iustorum simul ac peccatorum». Cette communauté qui α) à cause de sa Paix en Jésus Christ connaît très réellement l'ineffable discorde désespérée du monde autant que la sienne, β) dans le κύριε ἐλέησον et le κύριε σῶσον de son service divin ne s'illusionne pas en chantant

---

(24) Cf. Paul Althaus, *op. cit.*, 482.
(25) *Id.*, 617.

sur sa propre réalité, mais qui «de profundis» crie vers le Seigneur qui seul peut l'aider réellement, γ) se laisse appeler et consoler jour après jour par la prédication de l'évangile, δ) rendant grâce dans la Cène — eucharistie! — se réfugie dans la présence du Seigneur ε) dans la «mutua consolatio fratrum et sororum», dans la charge d'âmes quotidienne autant qu'officielle, se proclame mutuellement sa paix en Dieu, son salut en Jésus Christ, cette communauté dans toute son infirmité, fragilité et fragmentarité, en tant que Corps du Christ, et le lieu du salut pour le monde.

b) Là où le salut est offert, il n'est pas nécessairement accepté. Il y a un refus qui s'abstient ou s'absente, il y a rejet, résistance et contradiction offensive, il y a apostase désespérée aussi bien qu'opiniâtre ou mutine. L'acceptation du salut est donc particulariste. On ne peut pas caractériser l'histoire de l'«homo viator» autrement. L'homme qui reste «extra Christum» est une réalité qu'il est impossible de nier par aucune acrobatie théologique. Elle reste une énigme ici-bas insoluble et abyssale. En vertu de la solidarité des pécheurs elle peut et même doit être confiée à la libre miséricorde de Dieu. Car le chrétien, témoin de l'intention universelle du salut divin, sait fort bien que lui-même vit en réfractaire, que sa foi est toujours encore pleine de mécréance: «Je crois; secours, Seigneur, mon incroyance» (*Mc* 9,24); et il est autorisé à attendre et à espérer «de reditu Christi ad iudicium» qu'avec tous les autres il sera mis encore une fois en présence du Seigneur Jésus Christ. Cela veut dire aussi: le chrétien reconnaît que de la part de Dieu il est absolument interdit à la systématique théologique d'identifier sans plus la particularité viatorique et historique de l'offre et de l'acceptation du salut avec une exclusion définitive.

5. La réalisation du salut est

a) décisivement eschatologique: re-création gracieuse *hors de* la tombe. Il importe que la chrétienté moderne se rende compte de ce que l'histoire moribonde et suicidaire du genre humain pécheur n'est pas simplement effacée par Jésus Christ. Il faut que nous poursuivions, sous peine d'y être contraints, la route de la réalité de notre histoire jusqu'à la fin. Le royaume de Dieu et donc le salut définitif en Jésus Christ est salut face à et *hors de* la réalité brutale de cette fin, ce qui ne veut pas dire que cette fin inévitable sera notre fin définitive, que tout soit fini. Le salut vraiment entier ne sera réalité irrécusable qu'au-delà de l'aboutissement final de notre histoire moribonde, et cela grâce au grand «malgré tout» re-créateur de la miséricorde de Dieu qui a ressuscité Jésus Christ comme premier-né des morts et d'une multitude de frères (*Col* 1,18; *Rom* 8,29).

b) Dans la vie des croyants et ainsi dans la vie de l'Eglise comme «communio fidelium», la réalisation du salut reste seulement fragmentaire. Et même dans ce cas — comme fragment — elle reste, alors même qu'elle est croissante et progressive, captive de l'indissolubilité du «simul iustus ac peccator». L'Eglise n'est pas seulement le lieu et l'espace, mais aussi la source du salut. Mais elle l'est exclusivement si elle se considère comme ce qui est dit sous (4a) : un peuple qui sait sa pauvreté et sa discorde misérable et qui pour cela supplie et prie pour sa pacification et son salut. Et, simultanément, l'Eglise et chaque croyant singulier sont serviteurs, témoins et messagers du salut et de la paix de Dieu, mais aussi avocats, mandataires et défenseurs de la promesse autant que de l'exhortation à ce salut divin pour le monde, pour le monde entier et pas seulement pour tous les hommes.

Dans ce monde, l'Eglise et le croyant sont instrumentalement la source du salut par leur relation permanente avec Jésus Christ, qui seul est réellement le lieu et la source du salut. Mais ici aussi le principe doit rester clair : la relation continuelle avec Jésus Christ ne tire pas sa vie de notre propre effort réflexif ou commémoratif, mais exclusivement de la puissance vivificatrice et libératrice du Saint-Esprit qui est efficace comme ἀπαρχή (*Rom* 8,23) et ἀρραβών (*2 Cor* 1,22 ; 5,5 ; *Eph* 1,14). Car le Saint-Esprit, le Paraclet renvoyant à Jésus Christ, non seulement console, mais également encourage. Il est dans un rapport secourable et éveillant avec notre θυμός, notre courage et notre humeur. Dans cette mesure, il nous sauve, ennemi et vainqueur de notre tristesse désolée, de la résignation et de l'inertie du cœur, de l'«acedia/accidia», qui comme désert et dessèchement - «siccitas» - de l'âme est à bon droit un des sept péchés mortels de la scolastique médiévale.

6. Il faut faire une différence entre le salut et le bien [26].

a) La certitude du salut a une efficience motivante et initiatrice sur la formation et l'organisation des conditions individuelles, interpersonnelles, sociales et globales ; elle est biophile et surtout réconciliante et pacificatrice.

---

(26) «Weil Gott im Tode Jesu Christi für das Heil der Welt genug getan hat, können wir nicht genug für das Wohl der Welt tun» («Parce que Dieu, par la mort de Jésus Christ, a fait assez pour le salut du monde, nous ne pourrons jamais faire nous-mêmes assez pour le monde») (*Zum Verständnis des Todes Jesu. Stellungnahme des Theologischen Ausschusses der Synode der Evangelischen Kirchen der Union*, 1968, 22,26).

b) De même, à la certitude du salut appartient un scepticisme réaliste envers toutes sortes de sirènes fanatiques et hybrides, dont les programmes forfaitaires promettent un salut messianologique immanent. La certitude du salut rend possible sobriété et clairvoyance — par opposition à la résignation paralysante —, et ainsi elle ouvre la raison à sa rationalité originaire.

7. La responsabilité mondiale du chrétien en tant que messager du salut est indispensable en raison de la dimension « coram Deo » de sa vie. Le chrétien reconnaît et professe que lui-même, le monde, le tout, sont créations de Dieu. Et à celles-ci est destinée la volonté universelle du salut de Dieu en Jésus Christ. C'est cela qui est la « particula veri » de la notion du « Christ cosmique » (A. Sittler).

Ce qui est décisif en première et dernière instance, c'est le « *Dieu* en Jésus Christ » du salut (*2 Cor* 5,19). Dieu-Créateur, Seigneur et interlocuteur de la créature, lui seul est la raison de l'indispensabilité de la responsabilité chrétienne pour la vie, la société et le monde. En exprimant cette fondation dernière — le « Gegenübersein » de Dieu et notre « Gegenübersein » en face de Dieu — dans la pratique et dans les problèmes concrets de la pratique, le témoignage chrétien est une ouverture dimensionnelle ou catégorielle de salut dans un monde séculariste.

8. Parler de réalisation universelle et définitivement plénière est impossible dans le langage de la doctrine, de la théorie ; seul est possible ici le langage de l'espérance et de la prière confiante et suppliante.
a) Cela signifie une *Apocatastasis pantôn* par la grâce seule et la libre miséricorde de Dieu — sans aucun droit argumentaire de la part des créatures. La théologie protestante, comme nous l'avons vu, n'a pas de concept doctrinal à ce sujet. Elle ne dispose pas d'une vision théorétique du futur non équivoque et claire. Le seul fait inconstestable est qu'il est interdit « a limine » de parler d'une prédestination qui serait de toute manière et en dernière instance conditionnée par l'homme [27]. Mais ce qui lui reste comme théories (la « praedestinatio inconditionata/absoluta gemina » et l'*Apocatastasis pantôn*), il est pareillement impossible de les soutenir comme des doctrines conformes à l'évangile. Car la première fait de l'évangile un « dysangelion » [28], la seconde pervertit la miséricorde de Dieu en « grâce à bon marché » (Dietrich Bonhœffer). Comme déjà dit

---

(27)   Cf. la critique intraluthérienne chez Paul Althaus, *op. cit.*, 623s.,626sq.
(28)   Ainsi avec raison Emil Brunner, *Dogmatik II*, 466.

sous 1,8, l'essentiel sera toujours de différencier parmi les voix de la doctrine de la «réconciliation du tout», d'une part, l'intention et, d'autre part, son fondement et son explication argumentaire.

Ces dernières — c'est l'enseignement de l'histoire de la théologie et de la dogmatique — sont toujours principialistes et mènent à des contraintes et pressions systématiques qui osent maîtriser et prendre en main Dieu même et la liberté de son activité *créatrice* bienveillante et *re-créatrice* par la miséricorde du «malgré tout». Un tel essai de maîtrise de Dieu est apparemment l'«ontothéologie» de la théologie systématique de Paul Tillich. Néanmoins il faudra, sans aucun essai d'évasion, respecter et prendre à cœur l'urgence criante de la motivation et de l'intentionnalité de ces voix.

La motivation, c'est que le croyant sait et connaît (par expérience concrètement existentielle) la miséricorde insondable et inépuisable. L'intention, c'est l'espoir ferme se confiant entièrement à cette miséricorde - miséricorde de Dieu, du seul Seigneur. Ainsi la théologie doit respecter à jamais le fait que la miséricorde divine, insondablement libre, ne puisse pas être ontologisée comme principe pancausaliste d'une «allwaltende All-Liebe». La miséricorde de Dieu est la miséricorde du Dieu-Créateur, du Seigneur, qui autant que comme Rédempteur et Réconciliateur, est le Juge de sa création. La foi chrétienne en tant que foi du «justifié impie» reconnaît que Dieu, Créateur et Juge, n'a pas voulu le péché et tout le mal qui en résulte et qu'il a pitié de sa créature impuissante subjuguée par les conséquences destructrices et autodestructrices de sa chute. La grâce du Dieu-Rédempteur, c'est la réponse «malgré tout» du Dieu-Créateur, dont la miséricorde est son acte libre. Car pardonner n'est pas son métier (cf. Voltaire). Seulement là où n'est point voilée toute cette effroyable vanité, tout cet horriblement annihilant, toutes ces ruines d'absurdités et d'irréparabilités de l'histoire pécheresse de la créature, seulement là où n'est pas refoulé le fait que dans notre négativité «il faut que tous nous soyons mis à découvert devant le tribunal de Jésus Christ» (*2 Cor* 5,10) — exclusivement là, on peut parler d'une *Apocatastasis pantôn* non pas en termes d'un théo-ontologie, mais d'une théologie de la grâce.

Ce langage apparaît comme langage du rêve, comme langage de regret, de désir ardent ou langoureux, comme langage de l'espérance se consumant en angoisse, comme langage de la prière presque muette et étouffée par ses pleurs. Mais cela mis à part, il nous faut reconnaître encore que ce langage ne sera jamais à l'abri du danger d'être soupçonné ou d'être démasqué comme principialisme camouflé et dernier cri des postulats du narcissisme.

b) La réalisation universelle du salut, dans le sens mentionné, signifie aussi la fin de l'anthropomonomanie de la doctrine traditionnelle du salut. L'espérance chrétienne en présence de la misère humaine doit être étendue au gémissement, à l'$\dot{\alpha}\pi o\kappa\alpha\rho\alpha\delta o\kappa\dot{\iota}\alpha$ $\tau\tilde{\eta}s$ $\kappa\tau\dot{\iota}\sigma\epsilon\omega s$ dans sa $\mu\alpha\tau\alpha\iota\dot{o}\tau\eta s$ (Rom 8,19-22). Et cela a deux conséquences:

α) D'une part, il faudra actualiser et continuer la nouvelle autocritique intraluthérienne de l'eschatologie acosmique de la dogmatique du 17e siècle[29]. Celle-ci avait interprété la «consummatio mundi» comme «annihilatio»: «Consummatio mundi formaliter consistit non in qualitatum huius mundi mutatione aut alteratione, sed in totali substantiae mundi abolitione aut annihilatione»[30]. Cette locution, «(substantiae mundi) totalis abolitio, annihilatio, in nihilum reductio» avait chez Luther le sens positif de souligner la radicalité du miracle de la nouvelle création, non seulement de l'homme, mais aussi du monde: nouvelle création *hors de* la tombe, «ex morte». Elle servait à réfuter la conception d'une continuité métaphysique, qui avait été suggérée et rendue possible par la distinction aristotélicienne d'essence et d'espèce (*substantia et species*). La re-création du cosmos fut abandonnée seulement suite à la combinaison de l'espérance biblique avec la conception d'une béatitude éternelle qui est au-delà du (de ce) monde. Il est évident que cette conception, inspirée par une mystique platonique ou platonisante et par un spiritualisme individualiste, a été intensifiée par le dualisme «corps-âme» cartésien, et que justement la dogmatique «spätluthérienne» y succomba. La détermination du «finis conflagrationis mundi» paraît symptomatique: «Primarius est gloria Dei, secundarius est liberatio piorum»[31]. Par opposition à cet égarement très fâcheux, il faut retourner à l'espérance biblique d'un nouveau monde, vivante dans la tradition de l'église primitive et, après, surtout dans la théologie des églises orthodoxes, mais conservée aussi dans la théologie médiévale, chez Luther, dans le premier luthéranisme et dans le calvinisme.

---

(29)   Cf. Paul Althaus, *Die letzten Dinge*, 1970[10],340sq.

(30)   David Hollaz, *Examen theologicus acroamaticum* III,II, cap. X, q 21.

(31)   *Ibid*, q 21.

β) D'autre part, il faudra dépasser l'anthropocentrisme général de l'eschatologie traditionnelle. Il est assurément très remarquable de voir l'argumentation de Thomas d'Aquin motivant l'eschatologie cosmique par la destination positive du monde pour l'homme, — particulièrement impressionnante face à une vue et une attitude hostiles ou indifférentes au monde. Toutefois, il faudra respecter d'avantage la pensée biblique de l'amour et de la bienveillance créatrice de Dieu. Par conséquent, il faudra reconnaître que la créature extra-humaine a au moins une auto-dignité et une valeur propre voulue par Dieu. Il est juste de parler du monde et de l'environnement naturel à titre de maison, de patrie, de scène aussi et, malheureusement, de carrière et d'arsenal de l'autoréalisation de l'homme; il est juste de parler du «dominium terrae» — mal utilisable et mal utilisé — de l'homme. Leur existence et par là aussi le sens de leur être ne s'épuisent néanmoins pas dans cette fonctionnalité anthropo-nome. Ce sens est plutôt d'abord *être de Dieu à Dieu devant Dieu.* Tout ce qui vit et se meut est «en relation à»: en relation au Créateur dont l'appel lui donne son être. C'est pourquoi, il faut affirmer une structure responsoriale fondamentale de tout ce qui respire, un analogue de l'«imago Dei» de l'homme, de cette créature de Dieu dont l'être respon-sorial est la responsabilité dans l'autoréflexivité et l'interpersonnalité. La reconnaissance de ce fait n'amoindrit point la grandeur de l'homme-image de Dieu, mais ouvre son cœur et sa conscience au respect de la dignité «dieu-donnée» de sa concréature. L'ἀποκαραδοκια de la créature souffrante et geignante dans la ματαιοτης attend impatiemment la libéra-tion des enfants de Dieu. Celle-ci advient comme réalisation du salut déci-sivement eschatologique, comme re-création *hors de* la tombe(32). Par conséquent, la foi espère un futur analogue de la créature extra-humaine: διότι καὶ αὐτὴ ἡ κτισις ἐλευθερωθήσεται ἀπὸ τῆς δουλείας τῆς φθορᾶς εἰς τὴν ἐλευθερίαν τῆς δοξης τῶν τέκνων τοῦ θεοῦ (*Rom.* 8,21).

---

(32)   Comme dit plus haut sous II,5a.

Stuart G. HALL

(London)

THE UNIVERSALITY OF SALVATION:
THE ANGLICAN POINT OF VIEW

1. It may be false of speak of «the Anglican point of view», «la perspective anglicane». The Church of England stands for the truth, biblical, catholic and apostolic, of the one Church of God. You could get different interpretations of the notion of «universal salvation» from different Anglicans today, and the same is true for the past. I myself prefer not to use the words «Anglican» and «Anglicanism», especially of myself. The use of such denominational terms itself encourages the view that we stand for a particular set of prinicples and practices distinct from those of the universal Church. I prefer to call myself a member of the Church of England. Nevertheless there is a set of customs, attitudes, practices and beliefs which holds together a world-wide Anglican Communion. The very existence of that Communion makes us a denomination, an «-ism», whether we like it or not. And it is fair to ask whether our beliefs and practices contribute anything to the subject of this session.

2. THE FORMULARIES OF THE CHURCH OF ENGLAND

The formal documents which define the position of the Church of England in doctrinal matters are the *Book of Common Prayer*, which passed into law in its final form in 1662, and the *Articles of Religion* usually printed at the back of the prayer book and known as «The Thirty-nine

Articles ». From these the following points might be gathered to indicate an Anglican point of view on salvation.

2.1 All men are conceived and born in sin. This is the ground given for baptizing infants, and is explained in Article 9 in Augustinian terms. *Peccatum originis* is a corruption of the nature of every man which has carried him far from original righteousness, so that « in every person born into this world, it deserveth God's wrath and damnation » (*in unoquoque nascentium, iram Dei atque damnationem meretur*). Article 10 makes it plain that this state makes man unable to turn without the grace of God in Christ preveniently working in us both to will and to do what is acceptable to him.

2.2 We are accounted just in God's eyes solely by faith on the ground of Christ's merits, and not for any works or merits of our own (Article 11). Good works are the fruit of faith and are acceptable to God in Christ, though in themselves they cannot put away sins or bear the severe scrutiny of God (Article 12). Good deeds done « before the grace of Christ and the inspiration of his Spirit, are not pleasant to God ». They do not spring from faith in Christ, and are therefore not done as God wills. They do not earn « grace of congruity » (*gratiam de congruo*), but « have the nature of sin ».

2.3 Article 18 curses those who say « that every man shall be saved by the Law or Sect which he professeth, so that he be diligent to frame his life according to that Law, and the light of Nature. For holy Scripture doth set out unto us only the Name of Jesus Christ, whereby men must be saved » (*cum sacrae literae tantum Jesu Christi nomen praedicent, in quo salvos fieri homines oporteat*). This seems to mean that no one will be saved (*salvus*) without explicit faith in Christ. That agrees with the statements of the *Quicunque vult* or Athanasian Creed, that « Whosoever will be saved, before all things it is necessary that he hold the Catholick Faith. Which Faith except a man keep whole and undefiled, without doubt he shall perish everlastingly ». That Creed is to be recited thirteen times a year according to the *Book of Common Prayer*, and Article 8 names it as one of the three creeds which « ought thoroughly to be received and believed » (*omnino recipienda sunt et credenda*). These formularies seem to commit the Church to the view that without faith in Christ man perishes and is not saved.

2.4 A doctrine of predestination and election is stated in Article 17. This is expressed in phrases largely culled from Scripture, e.g. Rom. 8,23-30 and Eph. 1,3-11. It states first that «predestination to life is the everlasting purpose of God whereby (before the foundations of the world were laid) he hath constantly decreed by his counsel secret to us, to deliver from curse and damnation those whom he hath chosen in Christ out of mankind, and to bring them by Christ to everlasting salvation...» It describes this process briefly, then makes the second point that «godly consideration of predestination and our election in Christ is full of sweet, pleasant and unspeakable comfort to godly persons», and lifts their mind to heavenly things, «so, for curious and carnal persons, lacking the Spirit of Christ, to have continually before their eyes the sentence of God's Predestination, is a most dangerous down-fall, whereby the Devil doth thrust them either into desperation, or into wretchlessness([1]) of most unclean living (*perniciosam impurissimae vitae securitatem*)». There is no reference to a decree of reprobation. It does not say that men are predestined to damnation, but only that contemplating God's predestination drives some to despair and leads others to overconfidence. The third and final point made in the Article is that God's promises are to be received in accordance with the general theme of Scripture, following God's will as there declared. It is not surprising that both Arminians and Calvinists in England have found it possible to subscribe to this Article without much difficulty.

2.5 The Catechism in the Prayer Book declares the two sacraments of Baptism and the Lord's Supper to be «generally necessary to salvation». In other words, everybody needs them. Richard Hooker in his *Of the laws of ecclesiastical polity* V, 59-60 argues for the necessity of administering baptism, and so defended both private baptism and baptism by women in cases of emergency. But he argued on patristic authority that some might be saved without baptism: martyrs, those intending to be baptized, and the children of believers. We are bound by God's law, and he is not. There is no reason to doubt however that Hooker shared the common Christian view of the time that the unbaptized heathen were uniformly lost and not saved in Christ.

---

(1)   I.e. recklessness.

2.6 Finally one might mention the prayers of the Church of England. Generally they are culled and adapted from Scripture and from patristic and medieval sources of various kinds. These are usually offered on behalf of an indefinite «us». This usually means English Christians: prayer for the state takes precedence over prayers for the clergy and people. At Morning and Evening Prayer the Sovereign is prayed for, then the Royal Family, then the Clergy and People. At Holy Communion a Collect for the Sovereign comes before the Collect for the Day (though nowadays usually omitted where the BCP is still used). But in the chief eucharistic intercession «for the whole state of Christ's Church militant here on earth» there is a larger view. We pray for blessing on «all Christian kings, princes and governors, and especially thy servant N. our King/Queen». Modern revisions tend to leave out «Christian». There is also a wider view implicit in the petition in the Litany (to be said three times a week, but now much neglected), «that it may please thee to have mercy upon all men, We beseech thee to hear us good Lord». Hooker had to defend this supplication against the criticism of the more radical Calvinist Protestants, who held that since God intended some men to be damned it was wrong to pray for mercy on all men (*Eccl.Pol.* V,49). He argues both from Scriptural statements which indicate God's will that all should be saved, and from our ignorance about the inward state and election of individuals. We pray for the salvation of all as God's known general will; it is up to God to say «No» if occasion warrants. The Litany also asks that it may please God to «forgive our enemies, persecutors and slanderers, and to turn their hearts», though it may refer to Christian powers. And in the Good Friday liturgy there is a prayer for the return to God's true fold of «all Jews, Turks, Infidels and Hereticks».

The formularies nowhere go beyond the general ideas of Christianity of the period in which they were formulated. It is assumed that mankind is born in sin and under judgment. All arrive at final damnation unless God chooses some and rescues them by his grace through faith in Christ to be his people and brings them to heaven. Where prayers are offered for those outside the «Whole state of Christ's Church», which is not very often, their conversion to the true faith seems to be chiefly in mind. But there could be seeds of a more generous spirit in the way the formularies are understood and in the way theology developed.

3. A NATIONAL CHURCH

3.1 The first feature of the reformed Church of England which contributed to a more nearly universal view of salvation was the royal supremacy. When Henry VIII (1509-1547) broke with Rome by Acts of Parliament forbidding all legal appeal to Rome or other authority outside the realm, the law explicitly asserted that «the Realm of England is an Empire». The King's authority was thus deliberately compared with the ancient Christian Empire of Constantine or (perhaps rather) Theodosius. In principle England was a nation every member of which was a Catholic Christian bound in absolute fealty to the Supreme Head of the Church in England, that is to the King. The possibility of exceptions was not seriously considered. In fact religious dissidents — heretics and resisting papists — were put to death, in circumstances which appalled many Protestants. Under Edward VI (1547-1553) the Reformation advanced rapidly through revolutionary changes in liturgy and doctrine, and the Prayer Book and Articles reached a form very like that they have to this day. The idea that the Kingdom was to be christianized from the top downwards was clearly held by the Protestants in power, and was illustrated by the recommendations of the elderly Martin Bucer. Forced to leave his beloved Strasbourg during Edward's reign, he wrote for Edward VI *De regno Christi*, a programme for the christian instruction and conversion of England. This might be compared with the work which he had attempted at Strasbourg and which Calvin was attempting at Geneva, though now on the scale of a kingdom and not a city. This scheme of a Church coterminous with the Nation was reinstated under Elizabeth I (1558-1603) and received classic defence in Richard Hooker's *Laws of Ecclesiastical Polity* (1594-1597, unfinished). Hooker is a convinced Protestant, and unlike the contemporary controversialist John Jewel he sees no need to take on the claims of Roman Catholicism. He is concerned rather with that wave of advanced Protestant reform which is usually labelled «Puritan», which demanded the abolition of the continuing features of the medieval Church and a more charismatic form of worship and ministry. The «Puritan» groups tried to enforce the discipline of Christ as they conceived it, and many of them became ultimately «gathered» churches. In other words, they saw themselves as the only true believers, while the communion of the national church was soiled and tainted

77

by the presence at its services of unconverted and immoral persons. The «Puritans» overthrew the royal and episcopal government in the Civil War of 1642-1649, and with it the comprehensive principle that the Church of England includes all Englishmen. The principle of «the crown rights of the Redeemer» remains to this day a feature of English Dissent, the nonconforming Protestants. The residual powers of the Crown in Parliament to make appointments in the Church and to control its liturgy and doctrine are regarded by non-Anglican English Christians as an intolerable interference, and not as a sign of the principle of universality. Some members of the Church of England share this view; and it is obviously the case that there are Anglican churches in many countries, but only in England is there any special relation to the State. The principle has weakened chiefly because it became impractical in the nineteenth century. Parliamentary membership and other public offices were opened to Roman Catholics, Non-conformists and eventually to Jews and unbelievers, and it was no longer possible to think of implementing Bucer's programme for the Kingdom of Christ, or anything like it. W E Gladstone, Prime Minister at various times from 1868 to 1894, wrote a juvenile book *The state in its relations with the church* (1838) in which be argued for the old view of a single organism. But in office later he conceded that the ideal was quite unattainable. The Church of England today has in many ways become like a private and limited religious option, but the residue of the old idea of Church and Nation remains in some of its traditions and institutions, and is a kind of universalism.

3.2 Politically any attempt to realize that comprehensiveness has forced the Church to tolerate a good deal of deviation. In the fifteenth and sixteenth centuries, especially under Elizabeth I, it was clear that moderate policies would be needed to hold in one communion and obedience the more ardent Protestants, those who preferred the old ways of liturgy, ornaments and vestments, and those who were more concerned with royal authority than with the particular form it might take. In the nineteenth century the same three pressures were present in different guise: the rising power of the Evangelical revival sought to encourage individual earnestness and feared «popery» or retreat from biblical orthodoxy (the Low Church); the Tractarian or Anglocatholic movement stood for the outward Church, for realizing in buildings, symbols and sacraments the standards and principles of the ancient Church, and for ultimate reconciliation with Rome (the High Church); Liberals tried to assert the right to free enquiry and hence diversity in the Church, widening the base to include at least all Protestants (the Broad Church). The English Churchmen of today inherit these distinct traditions, and they still flourish in modified form. In the Anglican Communion there are provinces which know only one of these traditions. The Church of the Province of South Africa has always been and remains Anglocatholic; the churches of Nigeria and Sierra Leone in West Africa are conservative Evangelical bodies. If it were not for the state connection in England it is probable that the traditions would have split apart. As it is, the defence of Liberals and Evangelicals by the state courts in the nineteenth century caused defections to Rome like that of Henry Manning, and earnest Protestants leave it today because of its « Romishness ». The point I am making however is this: the Church of England is comprehensive of different kinds of Christianity and different theological values and attitudes as few other churches have been. This makes it a base for a kind of pan-Christian universalism.

3.3 It is not surprising therefore that Anglicans have played a leading role in drawing out the Ecumenical Movement of our century. The famous « Appeal to all Christian people » issued by the Lambeth Conference of 1920 was a significant step in this development. Bishop Charles Brent and Archbishop William Temple both played leading roles in the period between the wars. As far as reunion between churches is concerned, the Movement has not got very far, though something has been achieved, as in the Church of South India. But just as it grew from the nineteenth-century missionary movement, so it has also within itself a vision of mankind at one — and not merely the believing Christians of the world at one — and we must return to this point later.

4. WIDENING VIEWS

4.1 In the seventeenth century various pressures cooperated and competed for the Church of England. The state imposed episcopal government on a Church which sometimes resisted: « No bishop, no king » said King James I (1603-1625), who also held the royal power to be absolute (*Rex lex*). Supporters of his view like Archbishop Laud were notable for their Arminianism (following the Synod of Dort 1618-1619).

The hotter Protestants were Calvinists, and hoped to reform the church more radically. Arminianism itself is in one sense more universal than Calvinism, since it rejects the Augustinian view that Christ died only for the predestined elect. Unfortunately in Laud and his party it was married not only to a conservative liturgy and romanizing church ornaments, but to an absolute view of divine kingship which offended moderate men. The moderates were those like the socalled «Cambridge Platonists». They held that Law was not grounded in arbitrary will either in God (as the Calvinists held) or in the Crown (as the Laudians held), but was a rational principle universal in force (*Lex rex*). They tried to marry the Gospel with the best of Renaissance humanism and contemporary physical science. They held ritual, church government and dogma to be not essential. To be Christian was to participate in divine wisdom; men should choose whatever form of church government was found to be helpful. This indifference offended both High Church and Calvinist parties, and earned them the title «atheist» or «Deist». More usually they are called «Latitudinarian». They are important because their principles came to prevail in the Church of the eighteenth century.

4.2 The absolute monarchy of the Stuart kings gave way under William III (1689-1702) to a constitutional system which had established Presbyterian government in the Church of Scotland and Episcopalian in the Church of England. The philosophers of the late seventeenth and eighteenth centuries (like John Locke 1632-1704) rejected the Divine Right of Kings and looked for something more rational. Locke reacted sharply against the divisiveness of religious enthusiasm, repeatedly argued for religious toleration, and argued *The reasonableness of Christianity as delivered in the Scriptures* (1696); to be a Christian is to acknowledge Jesus as God's Messiah, and to live in accordance with Christ's teaching. The more extreme views of John Toland (1670-1722) denied divine revelation altogether, and founded the Deist tradition. Against it the most famous Anglican divine of the century, Bishop Joseph Butler (1692-1752), was no less committed to the claims of reason, but argued that reason itself pointed with great probability to the claims of revelation.

4.3 The nineteenth century saw important developments. The Evangelical revival after John Wesley in part left the Church of England, but a substantial (more Calvinistic) part remained and grew within. It did nothing for the universality of the Gospel theologically, but it made

80

a large contribution to missionary outreach, and began to work with other Protestant denominations. The Anglocatholic revival led by John Henry Newman and Edward Bouverie Pusey protested against rationalism, mere formality, and the erosion of Church privileges by the Liberal governments. There were liberal churchmen like Thomas Arnold, who wanted a wider-based National Church, and saw the function of the Church in terms of moralizing the nation.

4.4 The most interesting thinker for our purposes opposed all three parties. He was John Frederick Denison Maurice, known as F D Maurice (1805-1872). [2] Maurice was the son of a Unitarian minister, whose family split between various denominations. The Unitarians generally held a Universalist doctrine, that all men are ultimately saved by the divine kindness. Maurice retained a universal vision while grounding it in God as Trinity. He criticized the Unitarian idea of God as merely soft and good-natured and not taking sin seriously. His fundamental idea (borrowed in part from the Scottish theologian Thomas Erskine of Linlathen, 1788-1870) was that all men are created in Christ, that the whole universe is one Body of which Jesus Christ is the Head. He repeatedly criticized the current practice of preaching first the sinfulness, fall and guilt of mankind, and only afterwards the salvation in Christ. This was the way Protestant Evangelicals habitually began. William Wilberforce (1759-1833) for instance began his doctrine in *A practical view of the prevailing religious system of professed Christians in the higher and middle classes of this country contrasted with real Christianity* (1797) by emphasizing just this point. It is true that Article 9, the first on the doctrine of man, is all about original sin. But Maurice points out that all the Creeds and the Articles themselves begin with the confession of God as Trinity. It is precisely in that confession of the Father, the Son and the Spirit that human nature finds its true expression. Baptism in the Name of the Trinity therefore does not separate a man from his original nature, but declares what he most truly and originally is, made in the image of God, a member of Christ the Son and Word of God, an inheritor of the Kingdom of heaven. As a washing clean it also recognizes sin. It makes it plain that he has that in him which resists God and refuses to be his true Son.

---

(2)   See especially Torben Christensen, *The divine order, A study in F D Maurice's theology*, Leiden 1973.

But over all it declares God's perpetual mercy. Maurice's method in theology was always to recall the argument to the fundamental confession of the living God. Some aspects of this require further comment:

4.41 He follows Samuel Taylor Coleridge (1772-1834) in adopting a Kantian philosophy. Truth lies neither in a set of dogmas to be believed for the soul's good, nor in anything to be deduced from the world we know, but in the categorical foundations of all knowledge and morality. One could not argue one's way to God by what Coleridge called « Understanding » and Kant called « Vernunft ». It lay in a higher form of Reason indistinguishable from Faith, in which man has communion through the Divine Reason with God himself. Maurice thus picks up the rationalism of the Cambridge Platonists (who had certainly influenced Coleridge) and unites it with a strong, almost Barthian, assertion of the reality of the living God.

4.42 His comprehensiveness leads him in *The kingdom of Christ* (1838-1842) to distinguish the Catholic Church from the sects which divide it. The sects are those parties already mentioned, Evangelical, Tractarian Anglocatholic, and Liberal. He is most hostile to Liberalism, which by insisting on making religion a matter of personal preference destroys its central confession of God himself. In this book he tries to find the partial truth in each of the historic systems of Christianity. But he has a notable preference for the natural families and nations of men, seeing in the principle of Empire (the Roman, not the British kind) a threat to the divinely-appointed order of nations.

4.43 When he considers religion in *The religions of the world and their relations to Christianity* (1846-1861) he continues his positive assessment of non-biblical man. He shows an especial respect for Islam with its life-giving confession that « God is Great », and for Hinduism and Buddhism as reflecting in their very ancient faiths the truth of divine reason in man. He defends missionary activity as an appeal to man as man, and not some inferior being. He seems to think that the problem of communicating Gospel truth, whether to the unchurched industrial masses in his own country or to non-Europeans, is created by the conceits of the educated upper classes and their dogmatic systems.

4.44 Maurice advocated and practised a form of socialism, and believed in reform by education. This flowed from his basic confidence in man as created in God's image, and caused offence among the ruling classes in the Church.

4.45 Maurice opposed the prevailing Calvinist view of the Evangelical party that God made most men for damnation. He expressed this controversial position in his *Theological Essays* (1853). He argued particularly that eternal life is offered to all men by God, and it is nothing other than the knowledge of God himself. The biblical mythology of fire and damnation merely expressed the gravity of losing that knowledge. For this doctrine he was asked to resign his chair as Professor of Ecclesiastical History at King's College London, and when he refused was dismissed in 1853. But it was probably because he had offended the College's patrons by his socialist activities that his doctrines were attacked.

4.46 In his most bitter polemical work, *What is revelation?* (1859) he particularly criticizes his opponent for negative and destructive criticism of other theologians and philosophers. Both here and in *The kingdom of Christ* he follows the principle that theologies and churches are usually right in what they affirm and wrong in what they deny. In the end neither theology nor religion is what counts, but the knowledge of God himself, which he graciously affords to us in the person of Jesus Christ and speaks of in the Holy Scriptures.

4.5 One might question whether Maurice is typically Anglican. He would certainly have denounced «Anglicanism» as a *system*. He appears to be Broad Church or Liberal, but repudiates strenuously any weakening or diluting of the Church's dogmatic base, and opposes liberalism by name. But his influence grew in and after his lifetime. A position like his is detectable in thinkers like Brooke Foss Westcott and William Temple, and there has been a conscious revival of his thought in the wake of the movement we call Biblical Theology. He has a good deal in common with the notion that Scripture offers a unique word from God himself. Among those who have written books about Maurice and favourable to him one could mention Alec Vidler and Archbishop Michael Ramsey. And although he was dismissed by my own College for exactly that view of eternal life and universal salvation which might most interest this Symposium, he was not deprived of his priesthood, his parish, or his later teaching posts.

4.6 A sadder fate befell Bishop Colenso (John William Colenso, 1814-1883). He was a brilliant mathematician, and was appointed the first bishop of Natal in 1853, and did pioneer work among the Zulu nation.

He translated the Scriptures into the Zulu language, and studied their culture. He defended them from unjust exploitation. He came to disagree with the Archbishop of Capetown because he wrote books in which he denied that the Pentateuch was in all parts historical (especially those passages in which bloodthirsty acts are commanded by God), because he defended polygamy, and because he told the Zulus that their ancestors were not all necessarily damned in hell. He was condemned by his Archbishop, but the British secular courts refused to sustain the deposition; the first Lambeth Conference in 1867 however emphatically condemned him and declared him deposed. So, excellent missionary that he was, his position has been formally repudiated by the Anglican Communion. Fortunately such acts are not irreformable.

5. THE TWENTIETH CENTURY

5.1 The missions of the nineteenth century led on to the Ecumenical Movement in the twentieth. I have already mentioned the part played by eminent Anglicans in this. Perhaps of greater ultimate significance is the fact that mission and ecumenism exposed nineteenth-century Christianity to cultural criticism from the younger churches. At the first International Missionary Conference at Edinburgh 1910 a young Deacon from Madras was asked to speak. He was Vedanayagam Samuel Azariah, later Bishop Azariah of Dornakal, one of the architects of the Church of South India. He was pressed to speak, and did so on the understanding he could speak frankly. His address included the words:

« Through all the ages to come the Indian Church will rise up in gratitude to attest the heroism and self-denying labours of the missionary body. You have given your goods to feed the poor. You have given your bodies to be burned. We also ask for love. Give us friends[3]. »

That kind of love was what imperial Christianity found it so hard to give. Azariah was an Anglican, and his words most fruitful.

5.2 Two notable examples should be mentioned of progress in the church's thinking about its mission to the non-Christian world. Bishop Stephen Charles Neill (1900-1984) was a learned historian of ecumenism

---

(3)   Cited from W H T Gairdner, *Edinburgh 1910*, London 1910, p.111 by Kenneth Cragg, *Christianity in World perspective*, London 1968, p.31.

and theologian of mission, author of the article « Anglikanische (Kirchen-) Gemeinschaft » in TRE and a comprehensive example of Anglicanism. His books include *Christian faith and other faiths* (London etc. 1961). In it he attempts a dialogue with the great religions of the worlds, taking full account of their political and cultural history. His position remains a conservative one, and his advice to all men and nations, to existentialist and Marxist as well as Jew, Hindu, Buddhist and Muslim comes down to « Look at Jesus ». But he is deeply aware that the missionary cannot point to features of Christ which he does not embody in his own person. The other examle is Kenneth Cragg, Warden of St Augustine's College, Canterbury, 1960-1967, and later a bishop. For him the task goes deeper. He holds that one must enter into a deep appreciation of other religions in order to be faithful to Christ. In many books and lectures he has argued that one cannot speak of Christ to a Muslim unless one is attracted by the appeal of Islam. In a daring attempt to come to grips with dialogue at depth he wrote *Christianity in world perspective* (London 1968), which is full of gems like these: « The Cross presents itself as the place the world's worship always meant » (p.89); « We need have no fear to lose the Christ of faith, if we will be loyal to the Christ of the world » (218). I wish you had someone of that calibre to address you on behalf of the Anglican Communion.

5.2 Theologians like Cragg and Neill are free to put forward their radical views because of the fundamental liberties established in the Church of England, and consequently in the Communion at large. Conservative thinkers would dissent, but they live under one roof. The principle of theological comprehension and dialogue was set out in a Report published in 1938, *Doctrine in the Church of England*, largely forgotten but now republished (London 1982) with an historical introduction by G W H Lampe. This admirable experiment in doing theology together was provoked by a series of doctrinal disputes, but ended up not only making constructive proposals, but establishing the right of bishops and theologians to disagree. It paid little explicit attention to the subject of our session, being chiefly concerned with Christology, miracle and eucharistic theology. But it has two useful points:

5.21 On the word « Catholic » in the Nicene Creed it says, « The use of the term from early days connoted the belief that « the Great Church » was potentially universal and all-inclusive, as entrusted with a mission to all mankind » (p. 109).

5.22 On the question of judgment, hell and heaven, the Report leaves open various possibilities. But it is concerned with the equity of moral judgment upon the souls of the dead, and does not consider the question in terms of non-Christians and their fate. It leaves open various possible views about whether there remains further opportunity for the souls of the dead to repent or improve. But it is notable it conceives hell and heaven in Mauricean terms: «As the essence of Hell is exclusion from the fellowship of God, so the essence of Heaven is that fellowship» (219).

6. POSSIBLE GROWTH POINTS

6.1 Anglicanism starts with the English nation as a single community under its divinely appointed King. This can point to a dangerous nationalism or imperialism. More truly however it points beyond itself to a truly Catholic Church, a world in which all men live together under one God and one divine law, a rich, just and loving society. Both internationalism and attempts to realize God's will in social practice (as Maurice perceived) fulfil this principle.

6.2 By its tolerance of diverse theological principles, repeatedly reasserted in its history against the divisiveness of parties in the Church, Anglicanism has a base for a wider approach to dialogue with those of other faiths. God is the God not only of groups within Anglicanism, nor of Anglicanism itself, nor even of those who call themselves — or are considered by others to be — Christians. In faithfulness to God we seek fuller truth with whoever seeks it with us. Not all Anglicans will think this way. But those who do will have no reason to doubt they are being Anglicans when they do.

6.3 I wish to add one more point. It arises out of my anxiety that we should not let universal salvation as a problem, and as a metaphysical question, be separated from the scriptural roots of revelation. But it also arises from what Professor Schnurr says, when he speaks of the «cry» which goes up from the world, seeking salvation and wholeness. He emphasized that we should not treat unbelieving mankind as a problem to be solved, or it becomes an insoluble problem. I am sure the conclusion should be that the Church shares Christ's intercession by articulating that cry for salvation. This thought is rather a personal one and scarcely represents «the Anglican point of view». The clergy and teachers of the

Church of England at present are very weak on intercession. They do little of it in public, and often teach their people that prayer does not change either the world or God's action upon it, but only makes those who pray better people. Still, the Prayer Book undoubtedly calls for prayer of intercession for rulers, for the nation, for all men. Perhaps here we can at least say as much as other Catholic Christians and claim it as Anglican too.

Those called to know God in Christ constitute a holy priesthood to offer thanksgiving and prayer for all men (1 Peter 2,5; 1 Tim. 2,1-4). Hooker defended the intercession offered in the Church of England « That it may please thee to have mercy upon *all men*, We beseech thee to hear us good Lord ». We should take very seriously the suffering of the world and its need of salvation: to be saved from sin, from injustice, from pain and poverty; to be made whole in body, mind and heart, to be made healthy as a people. God looks down for justice, and hears only a cry, a scream of suffering (Isaiah 5,7). Jesus Christ himself articulates that cry in his own innocent suffering: *Eli eli, lama sabachthani*? He does so notably in words from the Psalm of David. That is significant. The cry of desolation is not the cry only of the Christian believer, chosen to know God's name in Christ. It is the cry of ages before, of the Psalmist of Israel. But it is not the cry only of Israel. Job puts it into words most clearly, cursing the day when he was born and calling on God to put right an appalling wrong. There is nothing to show that Job was an Israelite. But Job, like David, is to us a type or model by which we understand the suffering and the prayer of Christ, who died for our sins *secundum scripturas*. It may be that the Church's task is to put into words the despairs of the world and its great wrongs, and lift them up to God in union with the suffering of Christ, and with his prayer of sacrifice. We seek justice from God for all men, whatever their religion and however deep in vice they may have fallen. He as their Creator must accept final responsibility.

J.H. WALGRAVE
(Leuven)

L'UNIVERSALITÉ DU SALUT
DANS LA PERSPECTIVE CATHOLIQUE

I

La première gêne que j'éprouve en abordant mon sujet est qu'à première vue déjà il paraît si complexe et confus. Il faut sans doute faire une distinction entre la question historique et la question eschatologique. La première concerne la possibilité effective de l'accès de tous les hommes à cette grâce justifiante qui introduit le converti dans l'ordre du salut. Pour présenter les choses avec un peu de force: évoquons un mystique hindou comme Manikkavaçagar, premier ministre et grand réformateur d'un des états de l'Inde du Sud, qui, réalisant la vanité des choses d'ici-bas, méprise toutes les richesses et les honneurs du monde et se retire à la fin, pauvre et mendiant, dans un temple pour chanter les louanges du Dieu Siva dans un style qui rappelle St. Bernard avec ses effusions d'amour extatique et de désir d'union(¹); ou ce saint fameux du bouddhisme thibétain, Tomo Gésché Rimpotsché, dont un de ses disciples, Lama Anagarika Govinda, nous a décrit la vie, sa méditation solitaire, son amour du prochain, ses miracles (²); ou, mieux connu, le Mahatma Gandhi si pieux, si humble, si doux, si patient, si charitable, malgré sa

---

(1)   Mariasusai Dhavamony, *Love of God according to Saiva Siddhanta*, Oxford, 1971, p. 159-171.
(2)   Lama Anagarika Govinda, *Der Weg der weissen Wolken*, Zürich/Stuttgart, 1969.

fermeté invincible. On doit quand même se demander s'il est pensable que ces hommes, ne s'étant pas convertis au christianisme, restent exclus de ce salut dont nous disons avec St. Paul que Dieu le veut pour tous les hommes[3]. Et pour descendre plus bas, ces primitifs séparés du monde dans les forêts vierges d'Afrique, dans le bassin de l'Amazone, ou dans la toundra Sibérienne ou Mandchoue, dont beaucoup n'ont encore jamais vu un blanc voire même chrétien, appartiennent-ils ipso facto à la *massa perditionis*?

Sur ce point deux thèses extrêmes s'affrontent: l'une basée sur certains textes de l'Ecriture discutés dans les premières conférences et dont l'interprétation littérale a parfois conduit les théologiens à conclure sans nuances à la damnation inévitable de tout païen à qui l'évangile n'a pas été prêché ou qui n'y a pas adhéré[4]. L'autre, condamnée par Innocent XI, selon laquelle une foi au sens large, s'appuyant par exemple sur le témoignage des choses créées, suffit à la justification[5].

Entre ces deux extrêmes, condamnés par l'Eglise — avec quelle note? — on trouve de nombreux essais de solution dont le conflit trahit maintes confusions, même terminologiques. Que dire p.ex. de la réponse du cardinal Billot qui renvoie aux limbes les infidèles que le message chrétien n'a pas pu toucher, puisqu'on doit les considérer, dit-il, comme restant encore en deçà d'un état moralement adulte et donc comme incapables d'un choix qui déciderait de leur salut ou de leur perte?[6]. Ou de ceux qui inventent différentes suppléances à la prédication de l'Eglise permettant un acte de foi salutaire sans contact avec notre prédication? On serait tenté de donner dans un agnosticisme prudent, tout en maintenant d'une part que Dieu, qui est amour et justice, n'abandonne pas les hommes à leur sort, mais en confessant d'autre part notre ignorance des voies qu'il a pu disposer pour sauver les hommes sans nous.

La deuxième question, eschatologique celle-ci, bien qu'elle ne soit pas entièrement séparable de la première, est cependant en soi tout autre. Il s'y agit de l'état final de l'humanité au-delà de l'histoire terrestre du salut. Pour certaines branches ou tendances dans les Eglises réformées

---

(3)   1. Tim. 2. 4.

(4)   Déjà plusieurs Augustiniens comme Saint Fulgence et Saint Césaire. Mais cette doctrine sera plus tard rejetée parmi les propositions condamnées de Quesnel n. 27.30 — Denz.-Umberg, 1376-1379.

(5)   Parmi les propositions laxistes. Cfr. Denz-Umberg, 1173.

(6)   Cfr. L. Bouyer, Dict. théol., Desclée, 1963, art. *Infidèles (Salut des)*

l'expérience de la foi justifiante donne à l'individu une certitude absolue et irréformable d'appartenir aux élus et aux prédestinés. Si c'était vrai, la situation finale du salut devrait correspondre strictement à la situation créée ici-bas par la foi justifiante. Mais aux yeux d'un catholique un homme baptisé et sincèrement croyant peut, par infidélité à sa conscience ou par négligence de ses devoirs chrétiens, perdre sa foi, la renier et s'engager ainsi sur les voies de la perdition. Bien qu'ici-bas les bonnes œuvres, opérées par la liberté, mue par la grâce coopérante, puissent nous rendre dignes aux yeux du Seigneur de recevoir des grâces ultérieures, la théologie catholique enseigne à l'unanimité que la grâce de la persévérance finale ne peut être objet de mérite. La question eschatologique de l'universalité du salut est donc bien différente de la question historique de l'universalité de l'accès à l'ordre du salut. Maintenant, il faut bien l'avouer, cette deuxième question paraît encore plus compliquée et les réponses plus confuses que dans le cas précédent.

Encore une fois nous nous trouvons en présence de deux solutions extrêmes opposées : d'une part, celle de l'apocatastase, la réconciliation finale universelle de tous les êtres raisonnables, y compris les démons, avec Dieu ; d'autre part, celle du très petit nombre des élus qui par la grâce de persévérance entreront dans la béatitude parfaite éternelle. La première est attribuée, à tort peut-être selon des recherches récentes, à Origène. En effet dans la *Peri Archon*[7] Origène pose clairement la question, mais laisse au lecteur d'en juger, remarquant seulement que c'est une possibilité bien fondée du point de vue de la raison. En tout cas l'apocatastase a été enseignée par des moines, dits origénistes et pour plaire à l'empereur Justinien, le deuxième concile de Constantinople, qui n'avait pas l'intention de se prononcer sur Origène, a ajouté à sa condamnation des *tria capitula* un nombre d'anathèmes contre Origène et les Origénistes[8].

Ce qui est plus grave c'est que Saint Grégoire de Nysse paraît avoir adhéré sans aucun doute possible à cette doctrine[9], suivi par des grands théologiens comme Evagre le Pontique (probablement) ou Maxime le Confesseur (sans doute mais comme doctrine esotérique).

---

(7) *De Principiis* I. 6. 3. — *Traité des principes* (ed. H. Crouzel et M. Simonetti), Sources chrétiennes, n. 252, Paris, 1978, p. 201-205.

(8) Dict. Théol. Cath. XI Origénisme.

(9) Cardinal J. Daniélou dans Rech. Sc. Rel., 30, 1940, p. 328 sq et *Origène*, Paris, 1948, p. 282-283.

Or Saint Grégoire de Nysse, dont l'influence sur le développement postérieur de la théologie byzantine est prépondérante, était intouchable dans l'Eglise orthodoxe([10]): ce qui explique peut-être que, malgré la condamnation douteuse, mais devenue officielle, on peut toujours déceler dans la théologie de l'Orient des courants sous-marins d'origénisme. L'idée de l'apocatastase avec tout ce monde d'idées qui parfois la côtoient, chez Origène p.ex. l'éternité des âmes et leur chute avant la création du monde matériel, paraît pour ainsi dire congéniale à l'esprit Grec et en général à l'esprit des civilisations Indo-Européennes puisqu'on peut en découvrir les traces dans un passé lointain en Iran et aux Indes pour les retrouver plus tard dans le néo-platonisme et le stoïcisme postérieur. Il y a toujours quelque part l'idée méthaphysique que la fin des choses sera la restauration de l'état originel.

Nous ne pouvons pas poursuivre l'étude de l'apocatastase dans le monde occidental. Au Moyen-Age on ne la retrouve que chez Jean Scot Erigène, plus grec que latin, qui fut condamné au Concile de Valence([11]). Bien que rejetée par la Réformation([12]) elle tend toujours à renaître et fut explicitement enseignée par Schleiermlacher comme «allgemeine Wiederherstellung aller menschlichen Seelen»([13]). Dans l'Eglise Anglicane, l'universalisme du salut fut surtout défendu par une femme de génie, Jane Lead, une des fondatrices du groupe des Philadelphes([14]).

Si l'Eglise catholique Romaine, tant au Moyen-Age qu'aux temps modernes, semble, au moins dans sa prédication, avoir été insensible ou immune à cette idée ultra-optimiste, c'est que sa pensée et ses doctrines se sont surtout développées sous l'influence prépondérante du grand docteur Africain, Saint Augustin. Il est certain que selon lui l'humanité entière est devenue, en raison du péché d'Adam, une *massa damnata* mais que pour révéler sa miséricorde, Dieu a prédestiné depuis l'éternité un

---

(10)   «Gregory of Nyssa was called «Father of the Fathers» at the sixth ecumenical council — an honorific title that in the West could only be accorded to St. Augustine» (Polycarp Sherwood, *The Sense of Rite*, Eastern Churches Quarterly XII, 1957, p. 121.

(11)   855. Denz-Umb. 324.

(12)   Surtout par la *Confessio Augustana* (1530), 17.

(13)   Cité dans l'article *Wiederbringung Aller* dans *Rel. in Geschichte und Gegenwart*, VI, 1962, col. 1694.

(14)   Serge Hutin, *Les disciples anglais de J. Bœhme*, Paris, 1960, Chap. 4. «Le Christ, la grande Tête, ne se considère pas comme parfait tant que tous ses membres ne sont pas unis à lui» (*The Ascent to the Mount of Vision* § 20 — Hutin, p. 116). Il faut noter cependant que cet universalisme du salut est tout à fait opposé à l'orthodoxie bœhmiste (ibid., p. 117).

nombre déterminé d'élus (*electi, vasa misericordiae*) laissant le reste, la plus grande partie, sombrer dans les peines éternelles de l'enfer (*vasa irae, massa perditionis*). Il parle même des *praedestinati ad sempiternum interitum* ([15]). C'est la manifestation de la justice divine. Cette doctrine s'est mitigée sur certains points, comme nous verrons, mais l'essentiel en est devenu traditionnel. Elle s'est maintenue chez Saint Anselme et chez Saint Thomas d'Aquin qui se prononce même pour le petit nombre des élus ([16]).

Contre l'augustinisme outré des réformateurs, surtout Calvin, les écoles les plus typiques de la contre-réforme, notamment celles des Jésuites, essayeront de faire valoir au maximum la liberté humaine dans le schéma de la prédestination. Si, en général, ils n'ont pas adhéré à la position extrême de Molina qui enseigne une prédestination *post praevisa merita,* ([17]) ces théologiens — je parle de Suarez, Bellarmin et la plupart des théologiens jésuites —, tout en acceptant la primauté et l'efficacité de la prédestination éternelle, en ont rejeté l'efficacité intrinsèque sans le consentement de la liberté humaine. La controverse, qui les opposait à un thomisme durci, fut disputée pendant dix ans devant la congrégation *de Auxiliis* (1597-1607) et se termina par un refus du Saint-Siège de se prononcer sur ces divergences. Au contraire, l'augustinisme janséniste, un peu figé mais au fond pas plus sévère que la doctrine de St. Augustin lui-même, fut sévèrement condamné. Toute cette histoire trahit une certaine incertitude ou une hésitation dans la pensée catholique. De temps en temps, la lutte reprend. Mais aujourd'hui on en est las et le développement général de l'esprit contemporain tend plutôt à des conceptions moins âpres et plus optimistes sur la question du nombre des élus. Mais aucune solution claire, théologiquement justifiée et logiquement consistante n'en a résulté. D'ailleurs, l'enfer et ses affres, sujet privilégié des missions d'antan, a pour ainsi dire disparu du programme de la prédication. Aujourd'hui, plus encore qu'au quatrième siècle, on pourrait se plaindre avec Saint Basile que la plupart des chrétiens ordinaires ont été induits par le diable à croire, contre les témoignages évidents de l'Ecriture, qu'il y aura un temps limite aux peines de l'enfer. De nos jours, on s'en moque

---

(15) Tract. in Jo. 48. 4. 6.
(16) Summa theol. I. 23, art. 7, ad 3.
(17) C.-à-d. mérites qui dépendent essentiellement de la liberté humaine mais que Dieu prévoit par sa *scientia media* éternelle dont l'objet est ce qui n'est pas causé ou déterminé par Lui.

plutôt, bien que cette ironie cache souvent une certaine inquiétude. Récemment encore une dame très érudite, professeur d'université, me disait, non sans un petit sourire, que ce que nous ne prêchons plus mais devrions prêcher avant tout, c'est que si nous nous conduisons mal, nous irons en enfer.

Voilà, je crois, une introduction suffisante aux questions principales que nous avons à traiter du point de vue catholique. Il y en a encore d'autres, sans doute. J'en énumère trois :

1. D'abord celle de la relation entre le salut historique et le salut eschatologique au sens traditionnel. Les Eglises réformées ont souligné depuis longtemps qu'avec la croix et la résurrection du Christ le salut est déjà entièrement réalisé bien que cette réalisation s'écoule dans le temps historique vers un avenir qui est l'objet de l'espérance invincible. Aujourd'hui c'est précisément dans les théologies de l'espérance qu'on aime à parler de ce qu'un auteur assez récent nomme : « le jeu de miroir entre 'déjà' et 'pas encore' entre 'déjà présent' et encore 'en attente' » et il ajoute : « Nous n'avons d'ailleurs nul besoin de cette séparation. Nous avons à faire à deux pôles sous la tension desquels se trouve notre existence chrétienne. Devoir ressentir une tension entre deux pôles, et même en souffrir, tel semble être le destin de la théologie comme de notre existence » [18].

2. Il y a ensuite la question de la dimension cosmique du salut, fortement enracinée dans la tradition orientale, par exemple chez Origène, Grégoire de Nysse et Maxime le confesseur, mais presque absente de la tradition occidentale où, même chez les Réformés qui sympathisent avec l'espoir de l'apocatastase, l'universalité du salut se restreint aux hommes et ne prend pas une dimension cosmique. De nos jours c'est surtout sous l'influence de Teilhard de Chardin que l'accent se déplace d'une théologie du salut qui ne concerne que les personnes individuelles dont l'addition, le nombre, constitue l'Eglise (*numerus praedestinatorum* est une des huit définitions de l'Eglise que j'ai découvertes chez Saint Augustin) vers une théologie qui conçoit l'histoire du salut comme une histoire essentiellement cosmique bien que le salut du monde humain y reste primaire et que tout s'y organise à partir d'une personne-centre, un cœur-centre, aurait dit Franz von Baader, centre-cœur qui ait commencé à battre dans l'univers avec l'Incarnation du Verbe.

---

(18)   T. Rast, *L'eschatologie* (*Bilan de la théologie du XXᵉ siècle*) II, Tournai-Paris, 1970, p. 513.

3. Enfin une troisième question s'est introduite dans la théologie occidentale par l'avènement de la théologie soi-disant séculariste. Ici l'idée d'un salut transcendant et supraterrestre se combine avec ou parfois s'oppose à celle d'un salut terrestre et intra-historique qui serait la fin immanente de l'histoire. Ce salut serait l'affaire de l'homme qui, arrivé enfin à la pleine maturité et majorité, est lui seul responsable de son avenir sans pouvoir compter sur des interventions spéciales de Dieu dans l'histoire; ce qui pour autant n'exclut pas nécessairement le gouvernement suprême d'une Providence divine universelle. Cette idée est-elle conciliable avec l'anthropologie chrétienne et, en outre, peut-elle et doit-elle être intégrée dans la théologie de l'histoire et non seulement juxtaposée à elle?

I

Maintenant la réponse à ces questions du point de vue catholique. Il est impossible évidemment de l'élargir dans un traité, mais il est possible peut-être de tracer clairement quelques directives: *respondeo dicendum...*

Tout d'abord, en général, un théologien ne pourrait se dire catholique si, d'une part, il ne se tenait pas aux paramètres de sa foi (les *articuli fidei*, dit Saint Thomas, sont en théologie comme les axiomes dans une science quelconque) ou si, d'autre part, il lui manquait le courage d'affronter sincèrement tous les problèmes nouveaux qui relèvent vraiment de son métier. En effet, s'il se fixait dans un passé parfait ou plus-que-parfait, le mot catholique ou universel cesserait, semble-t-il, de s'appliquer à lui dans son sens plénier.

1. Quant à la première question, celle que nous avons nommée historique (versus eschatologique) et qui concerne la possibilité pour tous d'accéder à la grâce justifiante qui introduit l'homme dans l'ordre du salut, l'Eglise s'est toujours tenue à la maxime du Christ ressuscité: «Celui qui croira et sera baptisé sera sauvé, celui qui refusera de croire sera condamné»[19].

Dans la condamnation des propositions jansénistes de Quesnel: «Nullae dantur gratiae nisi per fidem» et «Extra Ecclesiam nulla conceditur gratia»[20] le mot *gratia* signifie évidemment un *auxilium*, une aide

---

(19)   Marc 16.16, trad. Osty.
(20)   26 et 29 (Denz-Umberg, n. 1376, 1379).

quelconque. Car l'Eglise se contredirait si la signification de ce mot impliquait la grâce justifiante qu'aucun adulte ne peut obtenir sans la foi qui l'introduit dans le domaine de l'Eglise au sens le plus large de ce mot.

Dans la proposition condamnée comme laxiste : « Fides late dicta ex testimonio creaturarum similive motivo ad justificationem sufficit » [21], il faut entendre évidemment *per se solum* sufficit. Car, selon la tradition théologique catholique il n'est pas faux de dire que cette connaissance, en soi accessible à la raison mais si difficile à découvrir sans erreur par la seule raison comme dit Saint Thomas, soit de fait obtenue par une aide surnaturelle d'inspiration divine. Dans ses *Retractationes* et sa lettre 102, Saint Augustin explique déjà que la religion qu'on appelle chrétienne depuis l'avènement du Christ, existait déjà *quantum ad rem* (*non quantum ad nomen*), donc sous d'autres noms et d'autres signes, avant Lui et même dès le début du genre humain, plus obscurément d'abord et de plus en plus clairement ensuite jusqu'à l'arrivée de la pleine lumière qui est le Christ. Ainsi la foi justifiante a toujours été possible bien que la vérité ne fût perceptible que par un plus petit nombre qu'aujourd'hui. De là sa définition de l'Eglise : « ab Abel justo... » [22].

Au cours des controverses pélagienne et sémi-pélagienne la balance s'est penchée en défaveur des Augustiniens sévères qui tenaient fermement avec Saint Fulgence que « Tous ceux qui meurent en dehors de l'Eglise, païens, Juifs, hérétiques et schismatiques, vont au feu éternel » [23] en faveur d'un Augustinisme modéré formulé par Hincmar de Reims, avec qui se termine le débat prédestinatien, soulevé par Gottscalc, au temps des Carolingiens : « le salut a été préparé à tous ceux qui ont vécu avant l'Incarnation comme à tous ceux qui sont nés et naîtront après la Passion, à condition pourtant qu'ils aient la foi qui opère par la charité » [24].

Mais comment peuvent ils avoir la foi sine *praedicante*? Les anciens qui ne se rendaient pas clairement compte de ce qui se trouvait au-delà des limites de l'empire Romain et de son entourage immédiat, pouvaient encore dire, faisant appel à St. Paul (Rom. 10), que l'Evangile avait de

---

(21) 23 (Denz.-U., 1173).

(22) Voir W. Wieland, *Offenbarung bei Augustinus* (Tübingen theol. Studien, 12), Grünewald-Verlag, 1978, p. 306-309.

(23) S. Fulgentius, *Regula verae fidei ad Petrum*, XXXV, 79 (Migne, P.L. LXV) col. 704.

(24) Hincmar, *De Praedestinatione*, cap. XXXIII (ML CXXV, col. 312, B-C).

fait été annoncé dans le monde entier. Mais après les découvertes de l'Extrême Orient et des Indes Américaines la situation était bien changée. L'orage éclatait bientôt et opposait d'une part les Louvanistes, inspirés par Baius et secondés par les dominicains, et d'autre part les théologiens jésuites, Lessius d'abord dont Saint Bellarmin prenait la défense, et puis Suarez, Vasquez, Grégoire de Valence, etc. avec leur molinisme corrigé. Estius de Louvain, parlant de ceux qui avant ou après le Christ n'ont pas entendu le message chrétien, pouvait encore conclure: «qu'on ne peut donc pas dire que ceux-ci avaient une grâce suffisante pour se sauver puisque, suivant le témoignage de l'apôtre, ils ne pourraient pas croire sans avoir entendu quelqu'un qui leur prêchait ce qu'ils devaient croire»(25). Suarez et Vasquez au contraire soutenaient «que le bon usage de la liberté dans l'observation de la loi naturelle vaut infailliblement à l'homme le secours surnaturel suffisant, en vue de la foi et de la justification» mais en ajoutant que l'observation de la loi naturelle n'était possible que par une certaine grâce d'ordre naturel, donnée à cause du Christ(26). Vasquez précisait que ces premières grâces étaient naturelles en soi mais surnaturelles *quoad modum*. Voilà ce qui advient lorsqu'on réduit la notion de grâce à celle d'un auxilium, ignorant la notion profonde de *gratia operans* si centrale chez Saint Augustin et Thomas d'Aquin. L'expression «grâce naturelle» n'a pas de sens dans ce contexte.

Cependant il y avait quelque chose de vrai dans la position de Suarez et de ses confrères. Essayons de la repenser en l'approfondissant à partir de la doctrine de Saint Thomas sur la genèse de la foi justifiante. Le docteur angélique distingue toujours dans la genèse de la foi entre un moment objectif extérieur, p.e. la prédication, et un moment subjectif intérieur qu'il nomme dans la 2a 2ae l'instinct intérieur de Dieu qui nous invite (*instinctus interior Dei invitantis*). Ce dernier moment paraît être pour lui le plus important bien que le premier reste toujours indispensable. Le croyant, dit-il, *habet sufficiens inductivum ad credendum* et, ayant énuméré les motifs extérieurs, il ajoute «et quod plus est (inducitur) interiori instinctu Dei invitantis»(27).

---

(25)   G. Estius, *Commentarii* (ed. Holzammer, Moguntiae, 1858), t.I, in Rom. X.14, p. 235, col. 2.

(26)   Voir: L. Caperan, *Le problème du salut des infidèles*, Toulouse, 1934, p. 285.

(27)   S. theol. 2a 2ae, q. 2, art. 9, ad 3.

Cette réponse, qu'il a d'ailleurs élaborée d'abord dans ses commentaires sur l'épître aux Romains et sur Saint Jean([28]), il la reprend dans un de ses derniers quodlibets parisiens([29]), où il donne à cet instinct intérieur la toute première place disant qu'on n'est jamais excusé d'y résister. Il en explique la nature par cette belle formule : «l'instinct intérieur par lequel le Christ pouvait se manifester sans miracles extérieurs appartient à la puissance de la première vérité (Dieu) qui éclaire et enseigne l'homme intérieurement»([30]). L'instinct chez Saint Thomas n'est jamais un don habituel, inhérent au sujet, mais une simple motion, un «être mû» de l'intérieur par une puissance supérieure. L'instinct implique toujours deux moments inséparables : d'une part, reconnaissance d'une *réalité*, mais en tant que salutaire ou nocive, d'autre part, un attrait émotionnel du bien, du salutaire, ou la répulsion immanente à l'expérience de quelque chose comme mauvaise et nocive. L'analogie principale est celle de l'instinct animal : l'agneau voit le loup, qu'il n'avait encore jamais vu, et est pris d'une impulsion spontanée à la fuite, ou il rencontre un pâtis vert et est mû par l'attrait d'y aller pâturer.

Ainsi par l'instinct divin qui nous induit à la foi nous prenons conscience de la réalité divine, non en soi comme dans la Vision béatifiante, mais comme étant notre salut et sauveur, et de ce fait, dans ce fait, le Père nous attire, nous invite intérieurement à nous avancer vers son fils par l'acte de foi. Il y a donc deux moments à distinguer dans la genèse de la foi justifiante : d'abord l'instinct proprement dit : reconnaissance et attrait du Dieu de notre salut. Dans ce moment, la grâce est simplement opérante. Dieu seul est à l'œuvre ; puis l'acte personnel de la foi par lequel nous nous abandonnons totalement et librement à l'attrait divin pour adhérer à Lui de tout notre cœur. Dans ce deuxième moment, la grâce, d'abord opérante, se mue, mais sans cesser d'opérer, en grâce coopérante pour employer la terminologie classique d'Augustin et de Thomas.

Mais l'aspect objectif, l'occasion extérieure, comment l'introduire ? On pourrait peut-être déjà répondre, suivant Saint Augustin : *ipsa revelatio est attractio*, donc : *ipsa attractio est revelatio*. Le moment d'expérience ou de reconnaissance soudaine du Dieu sauveur est un moment de

(28)   *In Rom.* 8.30, ed. Marietti, p. 122, col. 2 — p. 123, col. 1 ; *Super Evangelium S. Joannis lectura*, cap. VI, lectio V, III, n. 935, ed. Marietti, p. 176, col. 1-2.
(29)   Quodlibetum 2, q. IV, art. 1 (ed. Marietti, p. 27-28).
(30)   ad 3.

révélation ou d'audition intérieure, pour parler avec Saint Bonaventure. Cependant une occasion catalysante est normalement requise. Sur ce point nous pouvons recourir à l'idée déjà exprimée par Saint Augustin et reprise en d'autres termes par Saint Thomas dans *De veritate* et le commentaire sur les Romains(31), notamment l'idée de la présence active universelle de la religion chrétienne dans le monde *ab Abel justo*, incluant une certaine révélation de plus en plus claire, s'avançant d'une aube païenne à l'aurore d'Israël pour aboutir à l'éclat du *sol invictus*, le Christ, auprès duquel son Eglise peut s'asseoir dans la clarté et la chaleur.

Enfin ces occasions catalysantes, en tant qu'elles affectent l'âme, l'expérience personnelle, sont en soi surnaturelles puisqu'elles font partie de l'événement complexe initial et fondamental de la foi justifiante. Elles peuvent être très variées : les semences de vérité, présentes dans toutes les religions authentiques et qui prennent pour les personnes, qui suivent la lumière de leur conscience, une valeur de réalisation spirituelle progressive, au sens newmanien, de *realizing* d'où une influence révélatrice n'est pas absente. On pourrait parler encore du contact avec la nature dans son immensité perpétuelle ou dans ses beautés fragiles. Je pourrais donner des exemples splendides et pour ainsi dire convaincants(32). Ajoutons la rencontre d'un homme sage et profondément religieux après laquelle on trouve son cœur tout simplement changé et croyant. Inutile de détailler davantage.

Je voudrais conclure que, lorsque la grâce opérante de l'instinct du Dieu invitant et une occasion objective quelconque, dont il Lui plaît de se servir, se rencontrent dans une âme, tout ce qui est requis pour l'acte de foi qui justifie est donné. Ajoutons seulement qu'il appartient au *Verbum incarnandum*, éternellement identique au *Verbum incarnatum*, de manifester le Père, et qu'il est donc toujours présent au cœur de toute

---

(31)   Voir : L. Caperan, *Le problème du salut des infidèles*, *op. cit.* p. 186-197.

(32)   On peut trouver un des plus beaux exemples chez H. Dumoulin, *Ostliche Meditation und christliche Mystik*, Freiburg, 1966, pp. 308-328. Une jeune fille japonaise, qui ignore complètement le christianisme, contemple vers le soir le coucher du soleil. Tout à coup un rayon intense de lumière s'en dégage et lui paraît tout envelopper. «Cette lumière, ce qui était derrière cette lumière, était si ineffablement élevé que je n'ai pas les mots pour le décrire — c'était haut, pur, plein d'une majesté indélébile et absolue». Elle comprend intuitivement que cet être absolu et indélébile gouverne le monde. Pendant toute sa vie cette impression se prolonge sans se ternir et lorsqu'elle devient catholique et carmélite, «l'explication des choses divines, dit-elle, ne signifiait pour moi aucune nouvelle révélation.»

occasion extérieure effective de sorte que, même sans connaissance explicite de son avènement historique, c'est en lui et par lui que tout le monde peut arriver à une foi justifiante dans le Dieu sauveur.

2. Passons maintenant à notre deuxième question que nous avons appelée eschatologique et sur laquelle nous nous sommes déjà étendus suffisamment dans notre *status questionis*. Evitant les extrêmes d'une *affirmation théologique* de l'apocatastase ou d'un *jugement catégorique* au sujet du petit nombre des élus, il serait mieux, je pense, faute de preuves bibliques ou autres suffisantes, de s'abstenir de juger et de s'en remettre à la volonté de Dieu. Nous croyons que sa Providence universelle n'est pas seulement régie par une justice qui de soi est inexorable mais aussi et surtout par un amour miséricordieux. Si nous concevions la justice divine selon le modèle littéral d'une justice humaine, nous serions tentés de croire que presque tous les hommes seront damnés. Combien de saints n'ont pas craint pour leur propre salut lorsqu'ils considéraient à la lumière de Dieu leurs imperfections et leurs souillures, à nos yeux si minimes, mais qui les rendaient à leurs yeux indignes de la Majesté infinie! D'autre part, si nous concevions son amour miséricordieux d'une manière qui implique faiblesse, nous serions tentés de croire qu'à la fin tous seront sauvés. Mais nous ne savons pas au juste ce que les mots « justice » et « amour » signifient en Dieu tel qu'Il est en lui-même, ni comment en son essence cachée les deux vont de pair. Louis Bouyer conclut : « Quant à ce qu'il en sera finalement, Dieu seul le sait et il semble qu'à ce propos aussi s'impose la défense de juger que Notre Seigneur nous a faite (Mt., 7. 1) » [33]. Néanmoins, juger et entretenir en soi une idée, un désir, un espoir, sont deux choses très différentes. Et je vous avoue que je préfère pour moi-même entretenir dans mon cœur l'espoir d'un genre humain réconcilié finalement avec ce Dieu qui est Amour et s'est montré tel dans la croix de Jésus. Je n'excluerais même pas un certain espoir, une attente silencieuse de l'apocatastase. Serait-il indigne de ce Dieu que Jésus compare avec le Père de l'enfant prodigue? Je comprends si bien Origène et sa condamnation a quand même quelque chose de douteux. Je lis dans *Conciliorum œcumenicorum decreta*, édité par l'Institut de Bologne : « Nous ne donnons pas les anathèmes contre Origène : car les recherches

---

(33) L. Bouyer, *Dictionnaire théologique*, Tournai, 1963, art. *Elus (nombre des)*, p. 230.

récentes ont démontré qu'on ne peut les attribuer à ce concile» ([34]). Est-ce que une habitude postérieure de juger, fondée sur un malentendu, suffit pour établir un point de foi? J'éprouve une certaine difficulté à croire que la Providence ou le Saint-Esprit se servirait de tels moyens pour établir un dogme dans l'Eglise!

Entre le tableau du genre humain tel que nous le fait voir l'histoire, de mieux en mieux connue, et ce que nous devrions attendre à priori concernant la condition humaine à partir de notre foi chrétienne en Dieu, qui combine avec sa majesté intangible et toute-puissante un caractère essentiel d'amour miséricordieux — *Deus Caritas est* — il y a certainement une contradiction apparente qui ne peut que nous abasourdir. Newman décrit cette expérience déchirante dans une des plus belles pages de son œuvre. Ce passage se termine sur ces mots: «la défaite du bien, le triomphe du mal... la prédominance et l'intensité du péché, l'envahissement des idôlatries, les corruptions, l'irréligion aride et sans espoir, cette condition enfin de toute la race humaine décrite d'une manière si effrayante et cependant si exacte par ces paroles de l'Apôtre 'étant sans espoir et sans Dieu dans le monde'; tout cela est une vision qui trouble et qui donne l'épouvante; tout cela imprime dans l'esprit le sentiment d'un mystère profond qui échappe absolument aux solutions humaines»([35]). C'est bien là le tableau qui se dresse journellement devant nos yeux. Et presque tous les grands historiens qui ont réfléchi sur l'histoire dans toute sa largeur semblent s'accorder sur ce point. Au dire d'un auteur récent, Elisabeth Labrousse, le grand encyclopédiste, Pierre Bayle, était déjà d'avis que «l'homme a été et est en tout aussi malheureux et pervers que toujours il sera... Il est beaucoup plus probable qu'un changement quelconque sera plutôt pour le pire que pour le mieux... Si l'homme changeait, ce ne pourrait être que pour le pire»([36]). Des grands historiens universels chrétiens tels que A. Toynbee et Chr. Dawson disent au fond la même chose: au cours de l'histoire l'homme en général n'a pas moralement progressé. Aucun indice dans l'histoire qu'il changera dans le futur. Sa seule chance, dit Toynbee, est qu'il devienne un peu plus semblable à Dieu par la souffrance ou, à en croire Dawson et d'autres, par un renouveau d'une

---

(34) *Conciliorum Oecumenicorum Decreta* (ed. Istituto per le scienze religiose), Bologna, 1973, p. 106.

(35) *Apologia pro vita sua*, chap. 7 début (trad. française L. Michelin-Delimoges, Paris, 1966, p. 408).

(36) El. Labrousse, *Bayle* (coll. Past Masters), Oxford Univ. Press, 1983, p. 79.

civilisation chrétienne. Et un chœur de grands philosophes font aujourd'hui leur entrée dans cette élégie symphonique pour y mêler leur partie sourde. Des philosophes de l'histoire tels que E. Gellner et l'école néomarxiste de Frankfurt, voyant l'humanité sombrer sans retour possible dans la dépersonnalisation, l'esclavage, l'infantilisme et la vulgarité, ont perdu tout espoir terrestre et ont terminé dans la plus sombre résignation. Le grand optimiste scientiste d'avant la guerre, H. G. Wells, a publié avec *The Mind at the End of its Tether* un chant du cygne qui n'est que désespoir. En étudiant récemment le pessimisme historique dans les grandes civilisations anciennes et contemporaines j'ai dû constater que la note dominante y était celle du pessimisme. Si les plus optimistes, les disciples de Confucius maintiennent que la nature humaine est au fond bonne, ils sont néanmoins obligés comme Rousseau d'admettre que de fait la société existante est corrompue et corrompt ses membres; et si Mencius et ses sectateurs croyaient encore à une restauration par le retour au gouvernement juste des temps anciens, les taoïstes ne s'en moquent pas mal, Lao-tse avec un sourire méprisant et Chuang-tse, le plus grand, avec une raillerie amère prêchant à la manière d'un E. Wiechert et de H. D. Lawrence le retour à la nature pure et inconsciente. Alors, je comprends aussi bien le chrétien Augustin qui, contemplant le spectacle du monde humain, conclut que c'est une *massa damnata* que le chrétien Origène qui, partant de ses beaux principes, en arrive à penser qu'après la mort l'homme passera par une série d'épreuves qui amèneront à la fin la réconciliation générale.

Pour ces raisons je crois qu'un théologien catholique sincère pourrait en réaliste craindre sans l'affirmer, la perdition de la multitude et espérer dans son cœur, sans en faire un point de doctrine, la gloire de l'Apocatastase. Combien j'aime Saint Maxime le Confesseur pour avoir dit si sagement que la doctrine de l'apocatastase est reservée à ceux qui ont une compréhension mystique approfondie et que «nous voulons l'honorer par le silence»[37].

Origène avait dit que la révélation chrétienne, la révélation historique, n'était pas le dernier mot de Dieu et que nous vivons encore dans l'attente de la révélation finale eschatologique[38]. La révélation dans le Christ historique n'était qu'une *oikonomia*, une *paidagogia* en vue de l'histoire du

---

(37) *Quaestiones ad Thalassium*, MG 90, col. 260 A.
(38) Marguerite Harl, *Origène et la fonction révélatrice du Verbe* (Patristica Sorboniensia 2), Paris, 1958, p. 224-225; 228.

salut dans sa phase terrestre([39]). C'est de ces vues ou, plutôt de ces idées générales « philosophiques » que Newman disait qu'en les rencontrant au temps de sa jeunesse : « elles étaient à mon oreille, comme une musique » ([40]). A bien y réfléchir et avec tout le respect qui lui est dû, il semble plutôt qu'il ne serait pas très sage de la part de Dieu s'il disait à cette humanité, telle que nous la connaissons : « Après tout, faites ce que vous voulez, je vous aurai quand même à la fin. » Non que Dieu mente. Il n'y a en Lui que vérité. Mais selon les règles d'une saine pédagogie il révèle d'abord aux pécheurs grossiers ce que leur péché mérite par lui-même, réservant pour la fin des temps la révélation de l'ampleur universelle de sa volonté salvifiante effective, n'en donnant le pressentiment qu'à quelques uns qui ont pénétré plus profondément dans l'abîme de sa miséricorde et qui en honorent le mystère entrevu dans le silence. C'est ce que plus tard le théologien réformé, J. A. Bengel (1687-1752) reprendra pour son compte([41]). Comprenez-moi bien. Je n'affirme pas l'apocatastase mais en théologien catholique je n'opposerais aucun scrupule dogmatique contre quelqu'un qui en nourrirait l'espoir dans son cœur. On pourrait peut-être appliquer à ce cas ce que dit L. Bouyer dans son article sur « le salut des infidèles ». Le mieux est peut-être de maintenir intacte notre assurance que Dieu est en tous ses actes la justice et la miséricorde parfaite sans prétendre ni juger les cœurs dont lui seul sait le secret, ni moins encore des voies qu'il a pu disposer pour les gagner à lui dans le cas où, ne se servant point de nous pour cela, il n'a pas jugé bon de nous éclairer sur une action qui ne nous concerne plus en rien([42]).

Pour finir, quelques mots au sujet des trois questions supplémentaires qui sont à la mode dans l'eschatologie contemporaine. Et d'abord, rappelons ce que nous venons de dire au sujet de la question existentielle pénible de la tension entre le « déjà présent » et « l'encore en attente ». Cette question implique d'abord un problème très difficile pour notre capacité linguistique, je veux dire, la relation entre temps et éternité. Puisque normalement nous ne nous sentons vivre que dans le temps historique, notre imagination est toujours portée à concevoir l'éternité comme un passé infini qui précède le temps et probablement lui succédera. Mais c'est

(39)   Ibid. Tout le chapitre 7 p. 219-242.
(40)   *Apologia*, trad. française, p. 150.
(41)   Em. Hirsch, *Geschichte der neuern evangelischen Theologie*, Gutersloh, II, p. 185.
(42)   L. Bouyer, *op. cit.*, p. 342.

peut-être faux. Bergson en a parlé. Il y a des gens d'allure mystique, comme Warner Allen et R. Jefferies dans son livre, *L'histoire de mon cœur* (*The Story of my Heart*), qui témoignent de leur expérience de l'irréalité du temps, tandis que d'autres prétendent que le temps est la seule dimension de la durée. Mais le temps et l'éternité se compénètrent comme le fini et l'infini bien qu'ils soient distincts. C'est un mystère naturel, dirait Austin Farrer. Il ne me semble pas sain ni salutaire de croire qu'une expérience de foi justifiante nous assure de notre prédestination éternelle. Newman, qui y avait adhéré lors de sa première conversion à l'Evangélisme, fit la réflexion qu'une telle foi menaçait la vigilance continuelle que nous conseille l'Evangile. Il avait senti cette croyance, «irréelle» dit-il, s'éteindre lentement dans son cœur[43]. D'autre part la pensée que tout est déjà éternellement décidé est pour beaucoup de gens une pensée décourageante qui pourrait mener à la même négligence. Il paraît donc mieux de vivre dans la tension, dans la «crainte et le tremblement», comme dit Kierkegaard, concentrant tous nos efforts sur une vie sans reproche à laquelle l'Ecriture promet le salut, mais avec une confiance joyeuse dans notre Sauveur. Sainte Catherine de Gênes, consciente de son amour brûlant pour Dieu et son prochain, ne disait-elle pas que si Dieu la vouait à l'enfer, l'enfer se changerait pour elle immédiatement en ciel?[44]

Quant à la deuxième question, celle de la dimension cosmique du salut, il me semble évident que cette dimension est vraie et réelle et qu'elle doit être restaurée dans la conscience chrétienne. L'homme ne vit pas dans un cosmos qui ne serait pour lui qu'un lieu temporaire d'exil — s'il s'y trouve exilé, c'est en vertu du péché! Etant dans son unité substantielle âme et corps, comme le Concile de Vienne, confirmant la doctrine thomiste, l'a fortement souligné à propos du Christ[45], l'univers matériel fait lui aussi essentiellement partie du corps humain et en est le prolongement. Impossible de s'imaginer un «ciel nouveau», communauté des ressuscités avec leurs corps transformés et spirituels, comme dit Saint Paul, sans y impliquer cette «terre nouvelle» que Jean contemplait dans la vision finale qu'il raconte dans l'Apocalypse[46].

---

(43) *Apologia*, p. 114-115; *Autobiographical Memoir*, in Anne Mozley, *Letters and Correspondence of J. H. Newman*, I, ed. 1891, p. 122.

(44) Cfr. Fr. von Hugel, *The Mystical Element of Religion*, I, Londres, 1923, p. 268.

(45) *Conciliorum œcumenicorum decreta, op. cit.*, p. 360.

(46) Apoc., 21.1.

A la dernière question je me sens plutôt obligé d'opposer un *non placet* à la thèse séculariste selon laquelle l'homme, enfin émancipé et arrivé à la pleine maturité, soit concrètement capable et libre, ou soit sur le point ou en train de créer sans Dieu par ses propres efforts scientifiques et techniques un monde meilleur ici-bas. Je ne puis constater aucun progrès moral dans l'*average sample of human nature*, comme dit Toynbee[47]. Au contraire! Et je ne vois aucun signe d'un changement pour le meilleur dans l'avenir. Au contraire! J'entends encore Ernst Käsemann dans une réunion de cette Académie à Bruxelles pousser, les larmes aux yeux, ce cri de désespoir: *Diese Welt ist eine Hölle*. Ce que le vieux Saint Jean écrivait à ses bien-aimés me semble encore toujours aussi vrai: *Totus mundus in maligno positus est*[48]. Je concède que l'histoire a ses surprises et que le Dieu mystérieux que nous adorons peut différer le moment du grand changement comme il diffère la parousie. Mais ce changement ne se fera pas sans lui et sans la grâce qu'il opère dans ses élus et ses saints. Il ne le donnera pas simplement dans nos mains.

Lorsque je lis chez Gœthe, ce grand sage dont j'ai toujours fréquenté les œuvres avec une admiration suprême:

Allah braucht nicht mehr zu schaffen

Wir erschaffen seine Welt (W-O Divan)

je ne peux pas que sourire. Et quand il fait protester Prométhée contre Zeus:

Hier sitze ich, forme Menschen

Nach *meinem* Bilde,

Ein geschlecht das mir gleich sey,

Zu leiden, zu weinen,

Zu geniessen und zu freuen sich,

und dein nicht zu achten,

Wie ich!

je sens le frisson de l'horreur.

Je ne trouve rien dans ma foi catholique qui m'obligerait à croire dans l'avènement futur d'un âge d'or sur la terre. Je ne me sens obligé qu'à travailler avec tous les hommes de bonne volonté, à un monde

(47) A. Toynbee, *Civilization on Trial*, 2, Oxford. Univ. Press, 1949, p. 248. Voir aussi ce que nous avons dit plus haut.

(48) 1 Jo., 5. 19.

meilleur, regardant le modèle de la Jérusalem céleste, mais sans espoir déterminé pour ce monde-ci, laissant tout dans les mains de ce *Deus absconditus* qui m'attire et m'inspire l'horreur, comme dit Saint Augustin, (*inhorresco et inardesco*) toujours prêt à adorer sa volonté, même si je ne la connais et ne la comprends pas.

Georges C. ANAWATI

(Le Caire)

L'UNIVERSALITÉ DU SALUT DANS L'ISLAM

Remarques préliminaires

1. Il n'y a pas dans l'Islam de magistère officiel : il y a un certain consensus des théologiens ou de certaines universités surtout de celle de l'Azhar, la plus réputée dans le monde musulman. Il y a aussi une opinion «populaire» vécue dont il faut tenir compte. Enfin il y a des mouvements fondamentalistes (cf. Khomeini, les Frères musulmans) et d'autres plutôt libéraux qui essaient de s'adapter au monde moderne.
2. Le livre sacré par excellence de l'Islam est le Coran. Mais son utilisation pose certaines difficultés :
a) il contient à l'égard des juifs et des chrétiens des textes contradictoires
b) la théorie de l'abrogation de certains versets par d'autres plus récents -non admise par tous- complique encore la solution du problème.

A. LA DOCTRINE DU «PACTE PRIMORDIAL» OU COVENANT
(mīthāq)

1. L'Islam est une religion universaliste; toute l'humanité provient d'Adam, le père de tous les hommes et le message divin s'adresse à tous. De nombreux hadiths l'affirment: «Pas de supériorité d'un Arabe sur un non-Arabe, à moins qu'il ne le surpasse en crainte de Dieu». «Les gens sont à égalité entre eux comme les dents du peigne du tisserand; pas de supériorité du Blanc sur le Noir ni de l'Arabe sur le non-Arabe.»

2. Contrairement au contrat biblique (*berith*), véritable échange d'obligation mutuelle fondée sur la libre préférence de Dieu pour son peuple et l'adhésion de ce dernier, le contrat de l'Islam, le Pacte ou *mīthāq*, est un contrat unilatéral: Dieu se choisit un peuple de croyants, en principe tous les hommes à qui il pose une condition (*shart*): la confession par la créature de l'absolue unicité et transcendance de Dieu. Ce pacte donné par le Seigneur à l'homme a eu lieu une fois pour toutes dans la prééternité (C'est sur la Ka'ba, la pierre noire de la Mecque que Dieu aurait inscrit ce Covenant primordial). Le Coran y fait allusion: «Or, quand ton Seigneur fit sortir des reins des fils d'Adam leurs descendants et qu'il leur fit porter témoignage contre eux-mêmes disant: «Ne suis-je pas votre Seigneur?», ils dirent: «Certes, nous l'attestons.» (7,172)

Le premier effet de ce Pacte est d'imprimer en chaque âme comme une foi innée en cette unicité de Dieu qu'elle a connue et proclamée en sa préexistence. C'est la «fiṭra» la religion naturelle déposée par Dieu comme un sceau au cœur de tout homme qui vient dans ce monde. Elle fut la religion des justes, des hanifs d'avant l'Isalm et reste comme prédisposition à recevoir l'Islam. Aussi tout homme naît musulman, dit le hadith, ce sont ses parents qui le rendent juif ou chrétien.

Le message essentiel transmis par le Pacte primordial est celui-là même qui assure le salut pour tout homme: témoignage rendu à l'Unique et annonce du Jour dernier. Etre musulman, c'est témoigner du Dieu Un, qui s'est révélé aux hommes par ses prophètes et ses envoyés.

D'Adam à Mohammad, Dieu a de tout temps envoyé auprès des hommes, à tous les peuples, prophètes et apôtres. Comme dit le Coran, chaque communauté, chaque peuple de la terre a eu son Avertisseur (35,24). Maints auteurs n'ont pas hésité à en fixer le nombre mais leurs avis divergent. On compte, dit Bājūri, de 124.000 à 224.000 prophètes, 315 envoyés, chargés par Dieu de promulguer une loi.

Le cœur du message divin reste inchangé : c'est le témoignage rendu à l'Unique et l'annonce du Jour dernier. Au gré du vouloir divin, le détail des lois culturelles et sociales varie. A Moïse a été donnée la Torah, à Jésus l'Evangile. Mais l'Evangile abroge la Torah, et le Coran abroge l'Evangile, abrogation conçue avant tout comme un confirmatur et une élucidation de l'essentiel. Le Coran reprend et récapitule les messages antérieurs ; il suffit de le lire pour accueillir tous les autres messages.

Mohammad est l'Apôtre arabe, envoyé aux Arabes qui n'avaient pas reçu avant lui d'Annonce explicite « en langue claire » (arabe). Il n'est chargé de rien d'autre que de redire et d'expliciter l'unique témoignage qui culminait en Abraham. Il referme le cycle des temps, -et il n'y a de place après lui que pour le témoignage des Rassemblés au Jour de la Résurrection, en écho au Pacte primordial de la prééternité. Il récapitule tous les prophètes, son enseignement s'adresse à tous les hommes. Bien plus, il est chargé de rappeler aux « Gens de l'Ecriture » (en particulier aux juifs et aux chrétiens) qui, eux, avaient eu leur Envoyé, les exigences de la foi au Dieu Tout-Puissant (5,19) : « O peuple du Livre, notre prophète est venu à vous pour vous instruire après une interruption de prophétie. »

B. POSITION DU CORAN A L'ÉGARD DES JUIFS ET DES CHRÉTIENS

1. Le Coran est « descendu » sur Mohammad sur une période de vingt ans. Selon les circonstances, Dieu était censé révéler au Prophète ce qu'il fallait croire et ce qu'il fallait faire. La collection des versets et chapitres du Coran a été faite d'une façon arbitraire selon l'ordre de longueur décroissante. Mais les islamologues occidentaux ont pu établir un ordre chronologique qui permet de distinguer l'évolution de l'enseignement de Mohammad. De plus, les musulmans eux-mêmes admettent -du moins pour la plupart- que certains versets « descendus » au début ont été par la suite « abrogés » par d'autres. Aussi est-il indispensable quand on cite des versets du Coran de s'assurer s'ils ont été abrogés ou non.

2. En ce qui concerne la position du Coran à l'égard des Gens du Livre (i.e. chrétiens et musulmans), il existe des versets qui leur sont favorables, en particulier à l'égard des chrétiens.

Par exemple les versets 5, 82-84 louent les chrétiens qui sont « les plus proches par l'amitié de ceux qui croient (i.e. les musulmans) et qui, quand ils entendent la prédication coranique s'écrient : « Seigneur nous croyons. Inscris-nous donc avec les Témoins ».

Bien plus, en un premier temps de la prédication, le verset 2,62 affirmait : « Ceux qui croient (i.e. les musulmans), ceux qui adhèrent au judaïsme, les chrétiens et les sabéens-ceux qui croient en Dieu et au Dernier jour et font œuvre pie -ont leur récompense auprès de leur Seigneur. Nulle crainte sur eux. Ils ne seront point attristés. »

C'est là la position optimiste, celle que dans le dialogue islamo-chrétiens les musulmans nous présentent avec empressement pour montrer l'attitude tolérante de l'Islam à l'égard des non-musulmans.

3. Mais d'autres versets sont moins favorables. Ils signalent que Juifs et chrétiens furent infidèles au vrai message reçu par eux : ils se sont opposés au Prophète ; aussi Dieu fit descendre les versets 9,29-32 qui abrogent, pratiquement le verset 9,62. Voici ces versets :

9,29-32 : « Les juifs ont dit : « Uzair est fils de Dieu » Les chrétiens ont dit : « le Messie est fils de Dieu. » Telle est la parole qui sort de leurs bouches ; ils répètent ce que les incrédules disaient avant eux. Que Dieu les anéantisse. Ils sont tellement stupides. Ils ont pris leurs docteurs et leurs moines, ainsi que le Messie, fils de Marie, comme seigneurs au lieu de Dieu. Mais ils n'ont reçu l'ordre que d'adorer un Dieu unique. Il n'y a de Dieu que lui. Gloire à lui. A l'exclusion de ce qu'ils lui associent. Ils voudraient, avec leurs bouches, éteindre la lumière de Dieu, alors que Dieu ne veut que parachever sa lumière en dépit des incrédules. »

D'autres versets condamnent les chrétiens pour ne plus professer un monothéisme authentique :

4,171 ; « O gens du Livre ; ne dépassez pas la mesure dans votre religion ; ne dites, sur Dieu, que la vérité. Oui, Jésus, fils de Marie est le Prophète de Dieu, sa Parole qu'il a jetée en Marie, un Esprit émanant de lui. Croyez donc en Dieu et en ses prophètes. Ne dites pas : « Trois », cessez de le faire ; ce sera mieux pour vous. Dieu est unique. Gloire à lui. Comment aurait-il un fils ? »

5,17 : « Ceux qui disent : « Dieu est, en vérité, le Messie, fils de Marie », sont impies. Dis : « Qui donc pourrait s'opposer à Dieu, s'il voulait anéantir le Messie, fils de Marie ainsi que sa Mère, et tous ceux qui sont sur la terre ? »

5,14 : Parmi ceux qui disent : « Nous sommes chrétiens, nous avons accepté l'alliance, certains ont oublié une partie de ce qui leur a été rappelé. Nous avons suscité contre eux l'hostilité et la haine, jusqu'au jour de la Résurrection. Dieu leur montrera bientôt ce qu'ils faisaient».

5,77: «Dis: «O, peuple du Livre, ne vous écartez pas de la Vérité dans votre religion. Ne vous conformez pas aux désirs des hommes qui se sont égarés autrefois et qui en ont égaré beaucoup d'autres hors du droit chemin.»

5,72-73: Oui, ceux qui disent «Dieu est en vérité le troisième de trois» sont impies. Il n'y a de Dieu qu'un Dieu, Dieu unique. S'ils ne renoncent pas à ce qu'ils disent, un terrible châtiment atteindra ceux d'entre eux qui sont incrédules.

57,27: «Nous avons ensuite envoyé sur leurs traces nos autres prophètes et nous avons envoyé après eux Jésus, fils de Marie. Nous lui avons donné l'Evangile. Nous avons établi dans les cœurs de ceux qui le suivent la mansuétude, la compassion et la vie monastique qu'ils ont instaurée -nous ne la leur avions pas prescrite- uniquement poussés par la recherche de la satisfaction de Dieu. Mais ils ne l'ont pas observée comme ils auraient dû le faire. Nous avons donné leur récompense à ceux d'entre eux qui ont cru alors que beaucoup d'entre eux sont pervers.»

4. Ce sont ces versets qui condamnent pratiquement les chrétiens en les assimilant aux incrédules, aux *kuffâr* qui ont été surtout retenus par la croyance populaire musulmane: pour le commun du peuple les chrétiens sont des «polythéistes (*mushrikūn*) qui croient en trois dieux; ils ont «manipulé» les Ecritures soit en y joignant des textes non révélés soit en les interprétant faussement. Ils en sont venus à considérer Jésus comme Dieu, à affirmer une Trinité en Dieu et à associer au culte de Dieu unique la Vierge Marie. Leur sort est donc inéluctable: ils iront en enfer.

Le sort des juifs et des incroyants est encore pire; ils seront eux aussi voués à l'enfer éternel. «Hors de l'Islam, point de salut» et pour être musulman, il faut croire en un Dieu unique transcendant et en son Envoyé par excellence, Mohammad.

C. POSITION DE GHAZALI (M.1111) CONCERNANT LE SALUT DES NON-MUSULMANS

1. Il ne faudrait cependant pas s'en tenir à cette opinion populaire peu éclairée: il y a eu parmi les théologiens et les commentateurs du Coran, anciens et modernes des attitudes plus tolérantes, plus conformes

à l'idée qu'ils se font de la justice divine. L'un des théologiens les plus célèbres de l'Islam, Ghazāli, l'Algazel des auteurs latins du moyen âge (m.1111), a consacré un petit traité à l'étude du problème du salut des non musulmans, traité intitulé: *Le principe de distinction entre l'Islam et l'impiété (Fayṣal al-tafriqa bayn al-islām wal-zandaqa)* dans lequel il donne des principes de discrimination qui dénotent une réelle largeur d'esprit.

2. Ghazali veut répondre à des attaques provenant de «fondamentalistes» qui mettent en cause sa fidélité au dogme musulman; ils l'accusent de *kufr*, d'infidélité en soutenant que de non-musulmans pouvaient être sauvés.

Le célèbre théologien commence par préciser qu'on ne doit jamais traiter d'infidélité un musulman qui prononce «la profession de foi» (*shahāda*) musulmane. Il n'y a d'infidélité (*kufr*) que si une vérité fondamentale révélée par un prophète est niée sous tous ses aspects. Puis il mentionne des «traditions» (*hadiths*) qui insistent sur l'amplitude de la miséricorde divine à l'égard de la communauté musulmane, en ajoutant: «Et moi je dis que la miséricorde (divine) englobe un grand nombre de communautés antérieures, même si la plupart de leurs membres seront présentés au feu, soit légèrement, le temps d'un clin d'œil, soit pour une certaine durée au point qu'on peut leur appliquer le nom de «résurrection par le feu».

Cela concerne les hommes qui ont vécu *avant* l'Islam. Mais, ajoute-t-il, cela concerne aussi les hommes ou communautés qui sont après l'Islam i.e. après l'appel fait par Mohammad, sceau des prophètes. Ghazāli écrit: «Bien plus, je dis que la plupart des chrétiens byzantins (les *rûm*) et des Turcs (en majorité non musulmans au Ve-XIIe siècles) de notre temps sont englobés dans la miséricorde divine, si Dieu le veut; je veux dire: ceux qui dans les (régions) byzantines et turques les plus éloignées (de nous) et auxquels n'est pas parvenu l'appel (à embrasser l'Islam).»

On peut classer ces Byzantins et Turcs en trois catégories:

La première catégorie comprend ceux que le nom de Mohammad n'a pas atteint: ceux-là sont excusables.

La deuxième catégorie comprend ceux auxquels est parvenu le nom de Mohammad ainsi que sa qualité de prophète et les miracles qu'il a accomplis. Ce sont ceux qui sont voisins des pays musulmans et même qui sont mêlés aux musulmans; ceux-là sont les infidèles égarés.

Enfin une troisième catégorie est celle de ceux à qui est parvenue le nom de Mohammad mais non sa qualité de prophète. Au contraire, ils ont entendu dire depuis leur enfance qu'un fieffé menteur, un simulateur dont le nom est Mohammad a prétendu être prophète, comme dit Ghazāli, nos enfants ont entendu dire qu'un fieffé menteur appelé al-Muqaffa', suscité par Dieu a porté le défi en se disant faussement prophète. Ceux-ci, à mon avis sont dans le cas de la première catégorie, car ce qu'ils ont entendu de lui ne suffit pas à enquêter à son sujet pour s'assurer qu'il est vraiment prophète.

Si par contre «quelqu'un a entendu parler de Mohammad et de ses miracles mais qu'il se désintéresse du problème religieux et renonce à toute recherche, c'est cela l'infidélité».

Mais si «parmi les gens de toute religion quelqu'un a foi en Dieu et au Dernier Jour, il entende parler de Mohammad et de ses miracles, qu'il essaie de réfléchir à ce problème en cherchant la vérité et que la mort l'atteint avant qu'il ne soit arrivé à la vérité complète, celui-là sera pardonné et bénéficiera ensuite de la vaste miséricorde de Dieu». «Elargis donc la miséricorde du Très-Haut et ne mesure pas les choses divines aux étroites mesures officielles.»

D. LA *FATRA* («L'INTERVALLE»)

Les «gens de la *fatra*», i.e. ceux de «l'intervalle» qui sépare deux prophètes-envoyés, sont dans l'état d'«ignorance», *jāhiliyya*. Tel était l'état du peuple arabe avant la venue de Mohammad. Il faut l'entendre comme une période de tiédeur religieuse où faisait défaut la connaissance de l'Unicité divine (*tawḥīd*)... Mais n'ayant pas reçu l'«appel» (*da'wa*) d'un envoyé, les gens de la *fatra*, selon la solution proposée par l'ash'arisme modéré, ne pouvaient être soumis au *taklīf*, ne pouvaient recevoir imposition des prescriptions légales.

Qu'ils n'aient pas obéi à la Loi ne saurait leur être imputé, puisque sans promulgation de la Loi, il n'y a ni bien ni mal («Nous n'avons tourmenté (aucun peuple) avant de lui avoir envoyé un apôtre» 17,15.

Dès lors, nous dit Bājūrī «il faut admettre, avec l'opinion la plus commune que les gens de la *fatra* sont sauvés» (*Ḥāshiya*, p.18; (Gardet, *Dieu*, p.169).

Non seulement les mu'tazilites, mais avec eux les hanafites-maturidites, qui font de la connaissance de Dieu une obligation rationnelle, seront ici plus sévères : si les gens de la *fatra* meurent dans l'idolâtrie, ils subiront le châtiment éternel. Telle est également l'opinion du shafi'ite Nawawi.

E. POSITIONS THÉOLOGIQUES CONTEMPORAINES

1. Il nous reste à voir quelle est la position de certains théologiens musulmans contemporains dont l'opinion est, en général, assez répandue dans les milieux intellectuels musulmans éclairés. Il s'agit du grand réformateur égyptien Mohammad 'Abduh (m. en 1905) et de son disciple Rashid Riḍa.

2. Mohammad 'Abduh dont la tendance rationnelle le rapproche des muctazilites du moyen âge (qui affirmaient que la raison peut connaître le bien et le mal, et que tout homme qui suit les principes de raison sera sauvé), Mohammad 'Abduh se réfugie dans une sorte d'agnosticisme pratique respectueux : il met sa confiance dans la Miséricorde divine qui peut pardonner à ceux qui n'ont pas connu la Loi révélée.

3. Pour son disciple et continuateur Rashid Riḍa, le rôle de la religion est de purifier l'âme. Or cette purification s'accorde avec les lois de la nature. Que «l'homme les suive avec ou sans la connaissance et l'aide d'une révélation qui les confirme et les appuie, il se prépare ici-bas à la vie éternelle dans cet autre monde, le monde de sainteté qu'est le paradis.» (Jomier). Ce don du paradis dépend de Dieu qui l'accorde s'Il le veut.

Rashid Riḍa refuse qu'un homme soit tenu pour responsable de ce qu'il ne peut connaître en dehors de la Révélation. Il y a entre les gens, dès ici-bas, des différences suivant leur préparation naturelle (isti'dād). Ce que leur donnera Dieu dans l'autre monde dépendra de leur état dans le bien ou le mal, de leur vertu ou de leur dépravation. Dieu sera juste à l'endroit de leurs actes libres et il leur accordera sa grâce s'Il le veut.

Rashid Riḍa affirme que la plupart des non-musulmans de notre temps ignorent le vrai visage de l'Islam qu'ils prennent pour une religion comme les autres. En ce qui concerne leur salut, il rejette l'opinion de Ghazāli admettant que le fait d'ignorer invinciblement la Révélation suffit pour entrer au paradis. «Le plus raisonnable, écrit-il, et en même temps le plus conforme aux textes est que Dieu demandera compte à ceux qui n'ont pas connu le message, suivant ce qu'ils auront compris par la raison en matière de vérité et de bien et suivant la façon dont ils y auront répondu.» Ils ne seront donc pas jugés d'après la loi positive religieuse puisqu'il serait injuste de les soumettre à une loi qu'ils ont ignorée. (cf. Jomier, p.299)

BIBLIOGRAPHIE SELECTIVE

Robert Caspar, *Le salut des non-musulmans d'après Ghazali*, dans IBLA, t.31 (1968), pp. 301-313 qui reproduit le texte arabe de Ghazali et le traduit; Jacques Jomier, *Le commentaire coranique du Manar*, Paris, Maisonneuve, 1954, surtout pp. 292-300; Louis Gardet, *L'Islam, religion et communauté*, Paris, Desclée de Brouwer, 1967, pp. 402-405; *Dieu et la destinée de l'homme*, Paris, Vrin, 1967, pp. 392-3 et passim.

Etienne CORNÉLIS

(Nimègue)

UNIVERSALIME BOUDDHIQUE

Traiter de façon tant soit peu complète de la question de l'universalisme dans le monde bouddhique est une gageure intenable. D'autant plus qu'au cours de ses 2500 ans d'âge, de par sa prodigieuse faculté d'inculturation et son talent singulier pour donner réponse aux besoins religieux les plus diversement conditionnés, le bouddhisme a connu tant de métamorphoses, qu'il faudra encore bien des recherches avant de pouvoir écrire une histoire documentée de son universalisme d'intention et de fait. Peut-on néanmoins esquisser un visage de cet universalisme qui vale pour «le» bouddhisme et qui dénote cependant d'autres traits que ceux qu'on peut, en quelque sorte, attendre à priori de tout message de salut qui s'adresse en principe à tous les hommes? Je le crois, avec suffisamment de conviction pour m'y risquer. Les conditions pour y réussir sont cependant sévères, et de la part de l'auteur, et de la part du lecteur, formés dans un autre contexte religieux et philosophique que celui de l'Asie du Sud et de l'Est. L'auteur doit s'attacher à ne sacrifier ni la diversité (profonde) à l'unité (superficielle), ni l'unité (profonde) à la diversité (superficielle). Quant au lecteur, il doit renoncer à chercher la comparaison facile avec ce qu'il connaît mieux et être ouvert à la perception de structures universalistes insolites, apparemment absentes en contexte monothéiste, mais plus probablement présentes sous le masque de formulations routinières. Je pense que la perception de la qualité propre à l'universalisme monothéiste n'aura qu'à gagner d'un effort de compréhension sympathique envers un autre visage de l'universalisme, finalement moins concurrent que complémentaire.

Quant au présent exposé, j'ai choisi de m'en tenir à trois cheminements, selon trois axes, vers ce que je crois être l'apport propre, singulier, du bouddhisme en matière d'universalisme, espérant mieux rejoindre ainsi les orientations de cette session et contribuer à un dialogue entre bouddhisme et christianisme sur un point essentiel.

J'évoquerai pour commencer l'apport spécifiquement bouddhiste à une réflexion sur le rapport de droit entre l'*ultimate concern*, pour reprendre l'expression de Tillich, et l'universalisme. En un second temps j'évoquerai quelques concrétisations historiques de l'idéal universaliste du bouddhisme. Et pour finir je tenterai de dégager la spécificité, à mon sens de nature à interpeller tout chrétien qui réfléchit, la qualité subtile et profonde de ce même universalisme bouddhique. Sur aucun des points je ne vise à être complet. La nécessité d'être bref devra se payer par une présentation quelque peu anguleuse et provocante.

DHARMA : SAGESSE UNIVERSELLE

L'apport historique du bouddhisme à la conception de l'universalisme religieux se révèle le mieux dans le prolongement et comme en contrepoint de la réflexion du brahmanisme en la matière. Elle procède de la même notion de *dharma*, c'est-à-dire du fondement premier et éternel de toute chose. Les upanishads témoignent sur ce point d'un état de la pensée brahmanique où s'élabore une synthèse englobant les problèmes qui se posent aux points de tengance entre l'odre social d'abord : comment expliquer la différence de naissance et de destin des hommes et plus généralement de tous les vivants, l'ordre moral ensuite : y a-t-il une juste rétribution des actes, et enfin l'ordre cosmique : l'univers dans sa diversité s'organise-t-il en plans ou milieux de vie qui d'une manière ou d'une autre satisfasse la raison.

Par un coup de génie, l'Inde a réussi, avant même l'avènement du bouddhisme, à mettre en place les traits fondamentaux à la fois d'une cosmologie, d'une anthropologie et d'une sociologie qui traverseront triomphalement les siècles et qu'on peut le mieux désigner comme la loi du *karman*. Celle-ci assure une justice distributive immanente et universelle, la totalité des vivants occupant, au cours de leur transmigration à travers d'innombrables périodes cosmiques, les lieux cosmiques et les situations sociales correspondant aux mérites et démérites qu'ils ont accumulés au cours de leurs existences antérieures et qui n'ont pas encore été rétribués au cours de celle-ci. Cette solution magistrale émousse définitivement la pointe douloureuse des trois aiguillons conjoints de la souffrance, de la mort et surtout du scandale suprême : le bonheur actuel des méchants et le malheur actuel des justes. Le temps cosmique fera tourner les rouages de la roue de la fortune et justice sera faite. Le *sanatana dharma* de l'hindouisme, c'est essentiellement cela, et même les divinités n'y échappent pas. Seul le *brahman*, principe neutre, impersonnel, le transcende. Une nouvelle perception de cette transcendance va s'ouvrir lorsque le brahmane Yajñavalkya, méditant sur le ressort ultime de l'efficacité de l'acte par excellence, le rite sacrificiel, parviendra à l'équation *tat tvam asi*, tu es ça, c'est-à-dire en d'autres termes, le sujet qui offre pour soi, qui s'adonne pleinement à l'intention sacrificielle, y réalise son authenticité : l'identité de son *atman* avec le principe universel. Par là le *braham* s'avère englober et donc transcender à la fois l'univers des apparences et le sujet connaissant. Filliozat, réfléchissant sur cette vision upanishadique, en a conclu qu'en Inde la recherche précoce du Soi de l'homme, c'est-à-dire l'homme lui-même, a détourné dans une certaine mesure de l'étude de l'homme empirique. En voulant trouver l'homme vrai, elle a écarté l'homme apparent et à découvert la Réalité universelle, qui n'a plus rien de spécifiquement humain, puisqu'elle est le substrat commun du monde et de l'homme.

Faut-il s'étonner, qu'après un tel départ, la pensée religieuse indienne n'ait jamais pris le «tour prophétique» qui donne sa coloration propre à l'universalisme judaïque, chrétien ou islamique? Et pourtant! Lorsqu'on réalise par une étude en profondeur quel fut l'impact culturel et religieux du message bouddhique, on ne peut se soustraire à l'évidence qu'il a introduit au moins une des caractéristiques de l'attitude prophétique à l'égard du devenir historique, à savoir le jugement moral du «péché».

Gautama, en un sens, poursuit la ligne de réflexion des brahmanes mais, en un autre sens, il opère par rapport à elle une révolution de 180°. D'une part, il adopte intégralement l'idée d'un univers produit par le *karman* des vivants qui l'habitent, univers fait de situations rétributrices de ce *karman*, mais il refuse d'autre part l'équation de Yajñavalkya qui identifie l'essence de la personne à l'essence du principe cosmique, pour faire retour au seul phénomène tel qu'il apparaît. Il critique les vues des brahmanes et des sramanes de son temps, parce qu'elles ne sont pas descriptives du réel, mais bien plutôt des projections, où s'exprime leur soif de sécurité existentielle. Le fondement universel reste cependant pour lui, je dirais par définition, un *dharma*; mais ce *dharma* ne consiste plus dans l'infaillibilité et l'universalité du mécanisme de la rétribution des actes, ni dans l'identité ultime de l'*atman* et du *brahman*, mais tout uniment dans l'universalité de la connexion entre souffrance et concupiscence. Il n'y a pas de substance universelle immortelle constatable ou déductible, mais il y a bien surgissement universel de souffrance partout où un ego mégalomane, illusionné et illusoire, se méprend à penser qu'il échappe à l'émiettement du temps en instants, que ne relie entre eux que la seule loi de la rétribution des actes.

Au moins en germe, la prédication bouddhique implique donc un «convertissez-vous; le temps qui vous est donné est précieux». En effet, dans la succession des réincarnations, la réincarnation dans la condition humaine offre seule l'occasion de prendre suffisamment conscience de la souffrance pour prendre la décision radicale de chercher à tout prix une voie de salut. Or ces réincarnations là sont extrêmement rares. Arriver à percevoir qu'on ne souffre que parce qu'on l'a mérité n'est donné qu'à l'homme. Ni les animaux ni les dieux n'ont accès à cette prise de conscience, préliminaire à toute démarche de salut. Par ce biais, le temps de l'histoire cesse d'être quantité négligeable du point de vue sotériologique.

Cette nouvelle conception du *dharma*, issue de l'expérience de l'éveil (*bodhi*) sous le figuier de Bodh Gaya, déplace et approfondit la conception de l'universalisme religieux. Il existe en effet une généalogie et une hiérarchie des concepts religieux d'universalité en Inde. Au niveau le plus élémentaire, l'expérience de la nature conduit à poser un cosmos, un univers. Puis, par retour sur le sujet, devenu microcosme, se dégage à partir et hors de l'expérience corporelle et psychique du sujet connaissant et voulant, un Soi transcendant. L'expérience de la *bodhi* conduit enfin à un retour final aux phénomènes tels qu'ils sont avant que le Soi et l'univers se posent en s'opposant. Elle les renvoie dos à dos comme les produits illusoires d'une fausse vue, que le Bouddha désigne du mot d'éternalisme, et qui consiste pour l'ego à se penser transcendant aux phénomènes. Le bouddhisme repose ainsi sur le paradoxe du refus de

120

l'immortalité de l'âme, au nom du sérieux même de l'engagement personnel dans la voie du salut.

Rien ne séparerait la position du Bouddha de celle d'un scepticisme radical, si ce n'était que Gautama a refusé, avec la même vigueur que celle des éternalistes, la position diamétralement opposée des nihilistes qui professent la maxime : « Mange et bois, demain tu mourras ». La voie du salut existe, elle, même si nul ne peut décrire le lieu où elle conduit ; le Bouddha l'a parcourue jusqu'à son terme, il en a balisé le parcours et tous peuvent la suivre. Sur la spécificité de cette sotériologie universaliste nous aurons à revenir, mais pour l'instant je m'en tiens à la contribution bouddhique à la notion même d'universalité religieuse.

La théorie du fonctionnement de l'univers élaborée par le brahmanisme n'est pas combattue de front. Elle est même utilisée sans scrupule, mais n'est pas posée pour elle-même. Elle n'a d'importance que dans la mesure où elle aide l'imagination à se faire une représentation utile de l'universalité de la souffrance engendrée par la concupiscence. S'y attacher absolument, comme d'ailleurs à toute autre vue théorique, serait un nouveau piège de la concupiscence ; et ce qui vaut des thèses brahmaniques, vaut équivalemment des thèses bouddhiques elles-mêmes, ainsi que le magistral dialecticien Nagarjuna s'attachera à le montrer, lui qui ira jusqu'à conclure : « Aucune vérité n'a été enseignée par aucun bouddha, à qui que ce soit, en quelque lieu que ce soit, à quelque moment que ce soit ». Un tel paradoxe est destiné à détruire l'effet-concupiscence qu'a fatalement sur ceux qui la professe l'affirmation de l'infaillibilité des paroles d'un sauveur ou d'écritures canoniques, affirmation à laquelle le bouddhisme des systématiciens abhidharmistes n'avait évidemment pas échappé. En conséquence de cette prise de position critique et dialectique, on peut dire que le bouddhiste renoncerait pratiquement à suivre « la » voie, à l'instant même où il se prétendrait en détenir « la » vérité théorique. Ainsi se trouve résolu par le vide des dharmas le dilemme entre l'affirmation d'une vérité de salut, détenue exclusivement dans la descendance spirituelle d'un seul maître, et celle de la validité universelle, en tout temps et en tout lieu, de son expérience salvifique.

Encore une remarque avant de conclure cette première partie concernant l'apport bouddhique à la conception d'un universalisme religieux. En tête de la catéchèse bouddhique figurent les quatre nobles vérités. Nous en avons déjà implicitement évoqué le contenu lorsque nous avons opposé l'universalisme du *dharma* bouddhique à celui des brahmanes. Ces quatre vérités procèdent l'une de l'autre à la manière d'une prescription médicale qui part du diagnostic du mal pour parvenir à une thérapeutique. Elles sont coulées en forme de sagesse, de savoir salvifique et ceci les apparente aux sagesses gnostiques en général. La nature de l'universalisme bouddhique est donc, en un sens, de type gnostique. Ce que je veux dire par là, c'est que dès que la conscience s'ouvre à la vérité qui sauve, le salut est là ; le salut en effet ne fait jamais défaut, il n'y a même que lui à être vraiment là, et seul l'attachement à l'illusion cette volonté concupiscente qui est également aveuglement volontaire qu'est l'*avidya* (ignorance), n'y a pas part.

Cette prémisse sapientielle a conduit assez rapidement le bouddhisme ancien à reconnaître une sorte d'infaillibilité de droit à une élite, les *arhat*. On devient *arhat* lorsqu'on est parvenu à l'évidence vécue du pouvoir salvifique des quatre nobles vérités ou, ce qui revient au même, à la vision directe de la loi de succession des phénomènes dans la perspective du *pratitya samutpada* (production conditionnée). D'où tout le poids que prendra la question de savoir s'il se peut qu'un *arhat* puisse jamais retomber de ce sommet.

Il ne fait aucun doute que c'est à cette distinction radicale que fait le bouddhisme ancien entre les *arhat* arrivés à l'illumination et les disciples moins avancés, que Mani a emprunté la distinction qui demeurera caractéristique de tous les courants manichéens, entre *perfecti* et *auditores*.

Un abîme sépare cependant cette sagesse bouddhique à portée universelle et celle enseignée par les docteurs gnostiques du 2e et du 3e siècles après J.-C. La différence est essentiellement de thérapeutique sotériologique, mais elle a aussi une portée théorique en matière d'universalisme religieux, qui ne se dégage pleinement que dans le Grand Véhicule. Pour être bref, l'universalisme théorique des systèmes gnostiques du 2e et du 3e siècles, de celui de Valentin par exemple, n'empêche aucunement mais implique au contraire une division des êtres en catégories étanches, seuls les *pneumatikoï* ayant capacité d'accéder au sens gnostique des écritures. Rien de tel pour la gnose bouddhique, même dans sa forme la plus gnosticisante, celle qu'elle prend dans les textes de la *prajñaparamita* (perfection de sagesse). Cette sagesse est en effet autokénotique ; c'est même du radicalisme de l'application universelle du principe kénotique qu'elle tire explicitement sa perfection. Elle ne projette ni ne pose aucun plérôme et échappe par là théoriquement à toute tentation de mettre à part un groupe d'élus, tentation à laquelle le Petit Véhicule avait succombé. Quant à l'élitisme pratique, il est évidemment impossible d'en conjurer les dangers à coup de théorie, même kénotique. Seule l'illumination par la sagesse parfaite en délivre.

Les deux courants majeurs du bouddhisme japonais, l'amidisme et le zen, sont issus tous deux du long effort du bouddhisme chinois pour résoudre le problème d'une transmission immaculée de la sagesse bouddhique vécue. Les solutions auxquelles ils se sont arrêtés sont en apparence diamétralement opposées : d'une part se fier entièrement à un autre ; de l'autre ne se fier qu'à son propre effort. Mais le présupposé est commun, et a été reconnu comme tel par les docteurs des deux écoles : l'irruption de la lumière, l'illumination n'est pas à la portée d'un savoir, d'une sagesse apprise, mais du dépassement, de l'abandon de tout ce à quoi le vouloir du disciple cherche encore à se raccrocher. La transmission du *dharma* ne peut être assurée que par la traversée du «grand doute» ou de la «grande mort», l'équivalent bouddhique de la nuit mystique. Seul celui qui l'a traversée réalise à l'évidence que tout est parfaitement égal, éternellement sauvé, intégralement bon. Il n'a plus à concevoir l'universel, il le vit. Tout débat sur l'universalisme est devenu futile, dépassé. Le mot même de «universel» ne peut plus convenir que pour qualifier une praxis, la pratique de la compassion universelle, projetée vers tous les univers pensables, du *bodhisattva*, qui vit le vœu de la solidarité sans faille avec tous les êtres souffrants et transmigrants et renonce pour cela au nirvana.

Or le cas de chacun de ces êtres souffrants est différent et demande une approche thérapeutique individualisée, que seule la sagesse kénotique, en éclairant de l'intérieur le vœu de compassion universelle, est capable de concevoir toties quoties, ad hoc. Le Grand Véhicule, c'est la voie de ces *bodhisattva* qui, selon les vues empiriques de ce monde, ne répondent plus nécessairement (ou ne répondent nécessairement plus) aux canons du moine bouddhique parfaitement observant et parfaitement éclairé du Petit Véhicule. Leur attitude est commandée par une sorte de *ama et fac quod vis*, l'amour étant ici bien entendu de compassion bouddhique et non de charité chrétienne. L'accent n'est plus mis sur les observances ou la prédication, mais sur la «sym-pathie» qui ouvre l'accès à la conscience du pécheur ou, pour le dire autrement, ouvre les yeux de ce dernier sur le vide des objets de sa convoitise, non en les lui interdisant, mais en les lui accordant d'une manière qui en mette à nu le ressort. «Qui» convoite se mire dans «qui» satisfait la convoitise et n'y rencontre que renoncement à soi «satisfaisant», sans aucun retour ni sur un moi ni sur un toi à satisfaire, les deux pôles ayant été évacués par la réalisation de l'intention du vœu de forme sacrificielle du *bodhisattva*. La perfection de sagesse du Mahayana s'avère ainsi à l'opposé de la sagesse élitaire des gnosticismes classiques.

SANGHA:
LIEU DE LA PRATIQUE D'UNE MISÉRICORDE UNIVERSELLE

Sortons à présent de ces abîmes théoriques, où toute prétention théorique d'universalité disparaît pour faire place à l'avènement d'une compassion réellement universelle, pour nous tourner à présent vers le phénomène historique bouddhique. Il n'est pas question de retracer ici cette longue histoire, mais seulement d'en noter l'un ou l'autre moment, révélateur de la façon dont la tradition vivante a réussi à se maintenir en souplesse dans la ligne de l'universalité d'intention de son fondateur. Elle a su éviter de s'appuyer pour cela sur un arsenal de dogmes et de sanctions et a ainsi réussi à réduire au minimum le nombre et la violence des conflits déchirants, tant internes qu'externes.

Toute grande tradition historique vit de ce que j'appellerais la grâce de son origine. Or le milieu dans lequel est né le bouddhisme présente des caractéristiques remarquables, qui n'ont pu accompagner ses développements ultérieurs que sous un mode ritualisé, un peu comme le mode de vie des mouvements baptistes, parmi lesquels le jeune christianisme a pris conscience de son identité, y a laissé sa marque dans le rite baptismal. Sociologiquement parlant, la jeune communauté bouddhiste était indiscernablement noyée dans le flot des *parivrajaka*, c'est-à-dire des sramanes errants littéralement sans feu ni lieu; sans feu, car ils n'entretenaient pas de foyer familial, ayant renoncé aux sécurités comme aux charges des membres d'une famille, et sans patrie, ayant renoncé à tout droit et à tout devoirs civiques par le fait de leur condition de mendicité errante, qui les situait en dehors des structures de l'économie et de la politique.

En dehors et cependant au contact, c'est-à-dire en marge; la nuance est d'importance car elle permet de deviner le rôle et la fonction critique du *sangha* dans la société. La communauté bouddhique se veut en effet, par la vertu de cette marginalité, capable de s'adapter et de subsister, quel que soit le contexte social où elle s'implante. Elle se veut un *way of life*, qui sanctionne toute la vie de ses membres avec la même force qu'une théocratie, mais avec cette grande différence qu'elle tourne ostensiblement le dos à tous les dieux de la cité. Et bien qu'à l'époque de sa naissance elle n'ait pas eu à s'expliquer avec un authentique monothéisme, lorsqu'elle en rencontrera les premières esquisses en Inde, elle en reconnaîtra immédiatement l'incompatibilité avec son propre mode d'être. Comme par instinct elle perçoit, avec d'ailleurs toute la majeure partie de la tradition religieuse indienne, dans l'affirmation du dieu unique l'autre face d'une affirmation de l'ego. Les prétentions de l'ego ne peuvent être exorcisées par le monothéisme, mais en deviennent bien au contraire invétérées. Le moi qui croit que ses péchés retiennent l'attention d'un juge suprême, dont seule la merci peut l'absoudre arbitrairement, se prend trop au sérieux pour s'en libérer jamais.

Ceci ne permet pas de conclure que le bouddhisme primitif n'ait pas pris une juste conscience du sérieux de la faute et de sa sanction. Le signe de reconnaissance, le rite par excellence du *sangha* des origines est en effet un rite de confession, le *pratimoksa*. Mais c'est une confession devant ses pairs, non devant un dieu. On s'y questionne sur sa fidélité à son engagement à vivre selon les règles de l'état errant de marginalité thérapeutique par rapport à la société établie; et si, par fatalité sociologique, un code naîtra progressivement de la résolution empirique de cas exemplatifs de transgression, entrer ou sortir du *sangha* n'en prendra jamais pour autant une signification ultime de salut ou de damnation.

Lorsque les communautés bouddhiques se diversifieront jusque dans leur mode de vivre et de penser le bouddhisme, elles conserveront de ces origines, à de rares exceptions près, une grande répugnance à s'anathématiser les unes les autres. Mgr Lamotte, le regretté spécialiste louvaniste du bouddhisme, a comparé les sentiments de famille qui reliaient entre eux les *sangha* indiens, en dépit de leurs divergences doctrinales et pratiques, à la solidarité de fait existant entre les différents courants de la réforme, au début de l'histoire des communautés réformées.

Si le bouddhisme theravada se caractérise jusqu'à nos jours par un moralisme pratique relativement étroit, ce qui lui a rendu plus difficile de s'implanter dans un climat où la culture indienne ne s'est pas imposée, comme c'est le cas en Chine, en Corée, au Japon et dans une certaine mesure au Thibet, le Mahayana, lui, s'est révélé plus exportable, car moins préoccupé d'ordonner la société terrestre en un sens bouddhique. On peut associer la relative raideur du Petit Véhicule aux origines mêmes de son succès : il a su se gagner de hautes protections, grâce précisément au soin qu'il a pris de prêcher aux laïcs une morale de mérites et de démérites. Paradoxalement, le Grand Véhicule, issu pour une bonne part d'une prise en charge des justes revendications de la piété laïque, se gardera généralement mieux, sauf au Thibet et parfois en Chine, des ingérences dans la vie des états.

L'élan missionnaire a eu le plus souvent pour voies de pénétration les chemins terrestres et maritimes du commerce international et cela aussi a marqué, avec le prestige particulier à la culture indienne, l'universalisme bouddhique. En Chine, ce sont les grands soutras et leur manière jusqu'alors inconnue de susciter les interrogations métaphysiques les plus vertigineuses qui ont ouvert au bouddhisme la porte des milieux intellectuels ; au Japon ce sont les prestigieuses statues du Bouddha et les habiles architectes des temples coréens et chinois qui se sont imposés à l'admiration des élites ; à Sri Lanka, en Indochine et en Birmanie, c'est l'organisation monastique et la formation intellectuelle et morale qu'elle assure qui ont eu pour effet une implantation profonde et durable à la base même de la culture. Dans tous ces cas, si variés dans le détail, un retour obstiné et fidèle à la volonté originelle de libération a su constamment réformer et corriger sans rupture les inévitables déviations de l'histoire. De cette adaptabilité universelle d'intention, les docteurs du Mahayana ont fait la théorie, en approfondissant la réflexion sur la notion canonique d'*upaya kausalya*, l'habilité dans les moyens, qui caractérise l'action des bodhisattva. Ils ont réussi à en faire le lien avec la vacuité universelle, cœur de la perfection de sagesse, ainsi qu'avec le principe de la miséricorde englobante qui caractérise leur véhicule.

TU ES BOUDDHA

J'évoquerai pour finir les liens qui existent entre l'universalisme bouddhique et l'histoire de la bouddhologie, c'est-à-dire de la conception que se sont fait les docteurs de la nature d'un bouddha. C'est peut-être là le biais par lequel un dialogue avec les conceptions chrétiennes s'engage le plus aisément, et c'est pourquoi je l'ai réservé pour la fin.

Il n'est pas moins délicat d'établir historiquement ce que Gautama a pensé de sa propre place parmi les vivants et les morts que de l'établir pour Jésus de Nazareth. Une chose me semble assurée, c'est qu'il a considéré l'expérience vécue à Bodh Gaya comme décisive, dotée de l'irréfutabilité de l'évidence, et — et c'est là pour nous le plus important — répétable pour quiconque suivrait sa trace. Il en a gagné un aplomb que rien ne semble jamais avoir démenti. A partir de cette expérience il se déclare en état de percer à jour et de réfuter tout brahmane ou sramane qui prétendrait proposer une meilleure voie de salut. Il parle donc d'autorité. Mais en même temps il évite soigneusement la vanité des controverses doctrinales de nature purement théorique et tout particulièrement celle qui concerne les fins ultimes, comme par exemple l'immortalité de l'âme.

L'essentiel n'est pas d'établir des vérités métaphysiques, mais de rectifier la démarche pratique. Cette attitude aura comme conséquence que les docteurs ne se réclameront pas seulement de l'autorité de ses paroles mais, de façon encore plus décisive, du sens dernier de son silence. On peut donc parler ici d'une kénose du verbe, garantissant sa pérennité universelle. La méthode zen des koans s'en réclamera. Cette stratégie départicularisante du Bouddha servira de modèle pour bien d'autres stratégies bouddhiques, dont le but est chaque fois de dédouaner les avatars historiques de la tradition de tout enfermement particulariste.

Pour cela les figures majeures qui fixeront la tradition zen en Chine tourneront délibérément le dos, dans leurs rapports avec leurs disciples les plus avancés, aux méthodes académiques de l'étude des soutras. Ce n'est pas qu'ils ignorent la longue et féconde histoire de la réflexion des docteurs ou qu'ils méprisent leurs efforts obstinés pour atteindre à une formulation toujours plus critique et donc plus universelle des vérités bouddhiques. Ils auront cependant de préférence recours à des méthodes qui ont tout d'un combat corps à corps, où le maître réduit impitoyablement à néant les ultimes «certitudes», les derniers retranchements où le «moi» du disciple cherche asile. Au départ, le disciple est en situation filiale par rapport au maître qui, par pure «miséricorde» bouddhique, lui accorde audience, jusqu'à ce que vienne le moment où il saisit de l'intérieur que la rigueur déroutante du maître n'est que la démarche externe de cette même miséricorde. Alors, et alors seulement, se retrouvant égaux parce qu'également éclairés et libérés, la transmission du *dharma* est assurée.

Quelques étapes intéressantes dans l'évolution de la bouddhologie méritent d'être brièvement évoquées. Les titres du Bouddha réclameraient à eux seuls une étude séparée. Relevons parmi eux celui de Jina, le Victorieux, qui nous renvoie à son combat contre Mara, le dieu « universel » de la concupiscence et de la mort. Comme pour St Paul c'est là le dernier et suprême ennemi à vaincre, l'unique prince de ce monde qui passe et de tous ses sortilèges.

Plus mystérieux, mais aussi plus révélateur, est le titre de Tathagata, dont la signification est controversée. Il est cependant hors de doute qu'il évoque un passage de l'autre côté, une transcendance donc. Gautama le porte parce qu'il a été jusqu'au bout, jusque là où il n'y a plus rien au-delà. Ce titre est universaliste par excellence, en raison du lien essentiel entre universalité et transcendance. Contrairement à un titre comme celui de Christos ou de Kyrios, qui renvoie au royaume annoncé comme proche et imminent, il n'ouvre que sur le vide. Ici encore il est remarquable que c'est au moyen de ce terme de Tathagata que les docteurs du Grand Véhicule forgeront la notion de *tathagatagarbha*, ou matrice de Bouddha. Ils signifient par là que tout vivant sans exception est un bouddha en puissance, puisqu'il est capable de déboucher lui aussi sur le vide abyssal, au point de surgissement même de son devenir. Cette doctrine a son parallèle, sinon son équivalent, dans le *capax Dei* de la théologie scolastique.

Plus curieuse encore, mais peut-être moins essentielle, est la doctrine de la multiplicité des bouddhas. Elle fait partie des couches anciennes du canon pâli et prendra un essor fantastique dans le Grand Véhicule, au point d'occulter l'importance de la personne historique de Gautama. La répétabilité de l'expérience de la *bodhi* suffit à la légitimer. Mais son vrai sens n'est pas là. Il s'agit principalement de faire face aux besoins de salut de tous les univers et de toutes les périodes cosmiques. S'appuyant sur le déploiement typiquement indien d'une cosmologie fantasmagorique qui multiplie à perte de vue les mondes et leurs cycles de myriades d'années, ce n'est finalement qu'une illustration de l'idée qu'un secours miséricordieux ne fait jamais totalement défaut aux êtres souffrants, même si, au départ, cette doctrine a surtout voulu démontrer que ce qui se dévoile à un bouddha a toujours été et le sera toujours.

Une dernière remarque : Gautama malgré l'âge avancé qu'il a atteint n'a jamais songé à se désigner un successeur, ni même un premier responsable de la communauté qu'il avait fondée. Cette apparente négligence doit probablement s'expliquer par sa conviction que le *dharma* ne se transmet pas comme un rôle, une fonction ou un savoir. La transmission correcte du *dharma* est l'un des points qui préoccupera le plus les grands docteurs du bouddhisme. C'est même là que les paradoxes de l'universalisme bouddhique atteignent leur apogée. Dans la tradition du zen, par exemple, alors que la dignité de patriarche porteur du *dharma* se trouve fortement soulignée par quantité de symboles, la conséquence logique du silence du Bouddha est poussée à l'extrême, en sorte que la transmission de la vérité bouddhique universelle soit en même temps une non-transmission, une libération d'un «devoir-transmettre» pour pouvoir transmettre.

COMPLÉMENTARITÉ

De toutes les questions que les participants au colloque m'ont posées, la plus essentielle, dans la ligne du thème de la rencontre, est sans doute celle de la nécessaire condamnation mutuelle ou au contraire de la cœxistence ou même de la complémentarité possible de deux universalismes religieux «concurrents».

Cette question est trop vaste pour être dûment prise en considération au terme de ces quelques pages. J'aurais cependant mauvaise grâce à m'y soustraire par cette excuse, si bonne soit-elle. Je vois, dans le cas singulier de la rencontre du bouddhisme et du christianisme, deux lignes possibles de réflexion. La première s'attacherait à souligner l'ouverture, l'«incomplétude» en quelque sorte, du message bouddhique, symbolisée par l'importance qu'y prend la notion de *sunyata*: vacuité, kénose. La doctrine bouddhique apparaîtrait ainsi comme une théologie mystique poussant à l'extrême les conséquences du principe apophatique. Ceci laisserait le jeu nécessaire pour tenter de remplir ce vide à partir du mystère divin révélé dans et par la kénose et la glorification du nazaréen crucifié. Cette voie est féconde, au moins du point de vue chrétien, et elle n'est pas triviale, car elle oblige à une révision cruciale de pas mal de formulations dogmatiques usuelles, tant en christologie qu'en théologie morale et mystique. Mais il serait vain d'espérer des bouddhistes qu'ils suivent volontiers les chrétiens dans cette voie. La nature pathétique du message chrétien leur apparaîtra toujours comme incorrigiblement particularisante, dans le sens le plus péjoratif du terme. Attirés, dans le meilleur des cas, par les formulations d'un Maître Eckhart, même celles d'un St Paul ou d'un St Jean de la Croix leur apparaîtront comme incompatibles avec leurs prémisses les plus essentielles.

Si l'on croit néanmoins capital pour l'avenir religieux de cette planète (c'est mon cas) qu'un réel progrès vers une compréhension mutuelle des deux universalismes chrétien et bouddhique s'amorce et progresse, un travail préalable, ardu mais indispensable — et c'est là ma seconde voie — devra être fourni de part et d'autre, afin de dégager l'espèce de foi présupposée par l'axiome bouddhique du vide de tous les dharmas et la vision du monde, le *dharma*, que présupposent les maximes pauliniennes que la figure de ce monde passe, et que Dieu ne sera tout en tous qu'après que la mort, ennemi ultime, aura été «évacuée».

Jean LADRIÈRE

(Louvain-la-Neuve)

L'UNIVERSALITÉ DU SALUT DU POINT DE VUE PHILOSOPHIQUE

L'objectif de la présente communication est de rencontrer la question de l'universalité du salut dans une perspective philosophique. Cette question est indubitablement d'essence théologique. On peut cependant se demander si un éclairage philosophique de cette question est possible et s'il est de nature à apporter une contribution positive au développement de la question. Une grande partie de la communication aura précisément pour objet d'examiner si la philosophie peut apporter un éclairage au problème discuté ici de l'universalité du salut. Mais avant même de commencer cet examen, il y a lieu de formuler quelques remarques méthodologiques préalables.

REMARQUES MÉTHODOLOGIQUES PRÉALABLES

En vue de mettre en perspective de façon convenable la problématique qui vient d'être évoquée, il faut rencontrer dès l'abord la question de principe que voici: quel genre de contribution la philosophie peut-elle apporter à la théologie? On peut distinguer, semble-t-il, deux types de relations entre philosophie et théologie: il y a, entre ces deux disciplines, des relations de caractère intrinsèque et des relations de caractère extrinsèque. Il y a relation intrinsèque lorsque la philosophie fournit à la théologie des concepts ou des procédures d'analyse et de raisonnement qui sont véritablement intégrés dans une systématisation théologique. Bien entendu, une telle intégration suppose que ces concepts ou ces procédures soient détachés de leur contexte philosophique d'origine et soient insérés dans un contexte proprement théologique. En d'autres termes, ils doivent être insérés dans un nouvel horizon d'intelligibilité, différent de l'horizon d'intelligibilité philosophique, chacun des horizons d'intelligibilité en question étant spécifié par l'objet propre des disciplines en cause. On pourrait donner comme exemple d'une telle relation intrinsèque l'apport conceptuel de la philosophie scolastique à l'élaboration de la doctrine théologique classique sur l'Eucharistie, qui utilise les concepts de matière et de forme pour formuler ses propres propositions. Par ailleurs, il y a relation extrinsèque entre philosophie et théologie lorsqu'il y a entre ces deux disciplines une interaction dans laquelle une séparation tranchée est maintenue entre leurs ordres conceptuels respectifs. Le fait qu'il y ait séparation n'empêche pas qu'il puisse y avoir relation. Il peut y avoir relation extrinsèque entre philosophie et théologie à deux titres différents. D'abord, par l'intervention de la rationalité, et de façon plus précise par l'intervention de l'idée de science. Cette idée est celle d'un savoir de caractère systématique, organisé selon des principes et critique à l'égard de ses propres procédures. Cette idée a joué un grand rôle dans la tradition philosophique. Mais nous la trouvons aussi présente dans certaines formes de théologie, bien attestées également par toute une tradition. Par ailleurs, une relation extrinsèque peut aussi s'établir entre philosophie et théologie par l'intermédiaire d'un objet commun. Ainsi, l'existence humaine, considérée en tout cas du point de vue de son sens, de sa destinée, est un objet pour la philosophie aussi bien que pour la théologie, même si l'une et l'autre envisagent cet objet sous des points de vue différents.

Concrètement, il semble que l'on puisse envisager une relation de ce genre, c'est-à-dire une relation par l'intermédiaire de l'objet, de deux manières. Une première manière d'établir une telle relation, c'est tout simplement de recourir à une comparaison entre deux approches d'un même objet. Ainsi l'existence humaine, l'éthique, l'existence de Dieu peuvent être considérées d'une part du point de vue d'une approche rationnelle, et d'autre part du point de vue d'une approche strictement théologique. Une deuxième manière d'établir une relation extrinsèque par la médiation de l'objet, c'est celle qui caractérise la philosophie de la religion. Que peut-on dire de la religion, considérée comme un fait attesté dans l'histoire humaine ou donné par l'expérience humaine, en se plaçant au point de vue de la seule raison ? Quelle est l'intelligibilité du phénomène religieux du point de vue d'une compréhension rationnelle ? Selon quelles catégories le phénomène religieux peut-il être interprété ? La démarche par laquelle une philosophie de la religion tente de répondre à de telles questions n'implique pas, par elle-même, une réduction du phénomène religieux à un phénomène qui relèverait totalement d'une explication rationnelle. Il existe certes des interprétations réductrices, mais on peut considérer qu'il ne s'agit là que de cas extrêmes. Ce qui est véritablement en cause et en question dans l'interrogation philosophique sur la religion, c'est la possiblité d'une détermination conceptuelle de la dimension de l'existence en laquelle s'inscrit le phénomène religieux. Il s'agirait donc, pour la philosophie de la religion, de déceler l'intelligibilité propre qui habite cette dimension de l'existence et qui rend l'expérience religieuse accessible, à tout le moins quant à son enracinement existentiel, à une forme rationnelle de compréhension. Cet effort philosophique d'interprétation rationnelle peut d'ailleurs porter non seulement sur la démarche religieuse considérée comme expérience mais aussi sur le contenu qui est en jeu dans cette démarche. On pourrait penser ici, comme exemple, à l'interprétation hégélienne de la doctrine de la Trinité. Bien entendu, une telle interprétation soulève d'immenses difficultés. Toute tentative d'interprétation rationnelle d'une doctrine théologique court le risque de réduire le contenu proprement religieux de la doctrine à une construction rationnelle. Mais la démarche interprétative peut avoir un sens légitime, dans la mesure où elle tente seulement de montrer selon quels concepts peut être pensée la signification de ce qui est affirmé dans la doctrine théologique considérée. Et une telle tentative de compréhension reste distincte de la théologie, qui, elle, se place résolument à l'intérieur de la foi et, loin de se borner à une simple analyse de signification, se met en mesure de poser résolument des jugements d'existence.

Le point de vue qui sera adopté ici est celui de la relation extrinsèque entendue au premier sens, donc au sens d'une comparaison entre deux approches, non pas au second sens, c'est-à-dire au sens d'une philosophie de la religion. Une comparaison entre une approche philosophique et une approche théologique de l'idée de salut peut être éclairante pour la théologie, en ce sens qu'elle peut lui proposer une analogie, on pourrait même dire peut-être une symbolique, dont la démarche théologique pourra s'inspirer dans le cadre de ses préoccupations propres. Mais l'approche philosophique de l'idée de salut pourrait avoir une portée qui irait au-delà d'une simple comparaison. Il se pourrait en effet qu'elle soit de nature à mettre en évidence une structure de l'existence à laquelle correspond la réalité du salut dont parle la théologie. L'apport de la philosophie pourrait être alors de faire apparaître, en dégageant cette structure de l'existence, une condition de possibilité pour cette réalité du salut. Et ceci nous amènerait très près d'une philosophie de la religion, en tout cas d'une philosophie de la religion entendue selon une acceptation relativement limitée : il s'agirait non pas d'une réflexion sur le contenu même d'une foi religieuse, mais d'une mise en évidence de la dimension existentielle en laquelle s'enracine, comme en sa possibilité, le salut, entendu en sa signification religieuse.

Nous aurons donc à rencontrer deux questions.

1° Y a-t-il un concept philosophique qui correspond dans une certaine mesure au concept théologique du salut ?

2° S'il y a de fait de tel concept, peut-on dire, doit-on dire même que ce concept philosophique de salut connote une idée d'universalité, et en quel sens ?

1. Y A-T-IL UN CONCEPT PHILOSOPHIQUE DE SALUT ?

Comme tel, le concept de salut est un concept théologique, et on pourrait même soutenir qu'il est tout à fait central dans la pensée théologique. Mais on peut trouver en philosophie un concept, ou plus exactement peut-être des concepts qui se trouvent dans une certaine correspondance, dans une certaine analogie avec ce concept théologique. Mais ceci soulève immédiatement — dans la ligne de la remarque générale qui vient d'être faite à propos de la relation entre philosophie et théologie — une question de fond : s'agit-il simplement d'une certaine analogie, ou bien les concepts philosophiques en question visent-ils ce qui constitue véritablement l'assise du concept théologique ? Dans ce deuxième cas, la philosophie nous donnerait plus qu'une analogie, elle dégagerait le fondement même du concept théologique de salut. Bien entendu, la philosophie ne peut opérer qu'à partir d'une analyse de l'existence humaine, telle que celle-ci se découvre à elle-même, telle qu'elle est donnée à elle-même et telle qu'elle peut se ressaisir dans l'expérience réflexive. Mais il se pourrait que, dans la compréhension que l'existence prend ainsi d'elle-même, vienne à se dévoiler la structure constitutive sur laquelle se greffe l'expérience spécifique dont parle la théologie. Ou, en d'autres termes, il se pourrait que la réflexion de l'existence sur elle-même soit en mesure de faire voir la forme à laquelle correspond le contenu donné dans l'expérience religieuse, le schème abstrait qui attend pour ainsi dire, comme simple possibilité, son remplissement ou sa concrétisation, que seule peut lui donner l'expérience spécifiquement religieuse. La question qui est soulevée ici, c'est bien, sous la forme précise de la problématique du concept de salut, la question, déjà évoquée dans toute sa généralité ci-dessus, d'une philosophie de la religion, entendue comme mise au jour des conditions de possibilité de l'expérience religieuse.

Adressons-nous maintenant de façon directe à la philosophie. Nous pouvons effectivement découvrir, dans la tradition philosophique, des approches qui font en quelque sorte écho au concept théologique de salut. De façon plus précise, nous pouvons y découvrir essentiellement deux types d'approche qui sont pertinents : l'un qui correspond à un point de vue descriptif, l'autre qui correspond à un point de vue performatif. Le point de vue descriptif est celui d'une philosophie qui réfléchit sur la condition humaine, qui tente de mettre au jour ses structures, de dire le statut de l'existence, et cela bien entendu par le moyen du concept. Il s'agit donc d'un effort visant à conceptualiser le donné qui est saisi dans et par la réflexion. Or quand on conceptualise ainsi le donné de la réflexion, une dualité subsiste entre la réflexion comme acte et ce qui est réfléchi. ce qui est saisi dans cet acte. Aussi longtemps qu'on en reste à ce point de vue, la philosophie comme telle est seulement une activité de pensée, qui demeure extérieure à ce dont elle parle. Et lorsque la pensée philosophique s'exprime dans un discours, celui-ci ne fait que décrire ce qui est apparu à la réflexion.

Le point de vue performatif va plus loin. Ce qui le caractérise en effet, c'est une certaine forme d'effectuation. Le terme «performatif» est emprunté à la philosophie du langage. Dans le contexte de l'analyse philosophique du langage, la performativité caractérise les phrases qui accomplissent ce qu'elles énoncent. Le propre d'une phrase performative, c'est que, dans une telle phrase, le procès de l'énoncé, c'est-à-dire ce qui est décrit dans ce qui est énoncé, recouvre le procès de l'énonciation. Par exemple, dans la phrase « Je vous promets de vous rendre visite », il y a d'une part le procès de l'énoncé, à savoir ce qui est dit, la promesse et son contenu (l'acte qui fait l'objet de la promesse), et d'autre part le procès de l'énonciation, c'est-à-dire l'acte qui est accompli, ou « performé », par le locuteur, par le fait même qu'il prononce cette phrase (pour autant bien entendu que soient satisfaites les conditions voulues de sincérité). Et ces deux procès se recouvrent : le contenu de l'énoncé est le contenu même de l'acte de promesse qui est accompli, et l'acte de promesse consiste à énoncer une phrase ayant ce contenu. Nous pourrions utiliser le terme de « performativité » pour caractériser un type de discours qui effectue ce qu'il dit, qui ne reste donc pas extérieur à ce qui est dit, mais qui réalise ce qui est dit par le fait même de le dire. Or il y a un discours philosophique qui est bien de ce type, qui ne se borne pas à décrire les structures de l'existence, mais qui réalise effectivement quelque chose par rapport à l'existence, qui produit en elle un nouvel état de choses, correspondant précisément à ce qu'il affirme. Pour un tel discours, le fait même de réussir à dire un certain état de l'existence en produit la réalisation. Il ne s'agit donc plus ici simplement d'une réflexion, et d'un dire de la réflexion, mais du devenir réel de ce qui est atteint par le biais de la réflexion. Il s'agit en somme d'un retour du discours sur le mouvement même de l'existence. Une philosophie qui se présente ainsi sous l'aspect de la performativité est une philosophie qui se comprend elle-même comme salut. Et elle ne peut évidemment se comprendre ainsi que dans la mesure où elle propose elle-même un certain contenu, qui est précisément le contenu du salut. C'est en exprimant ce contenu qu'elle le réalise. Et en le réalisant, elle se comprend elle-même comme réalisation du salut. Analysons tout ceci de plus près en examinant successivement le point de vue descriptif et le point de vue performatif.

a. Le point de vue descriptif

Nous pouvons constater, en consultant l'histoire de la philosophie, que l'idée de salut apparaît dans certaines traditions philosophiques, et nous l'y découvrons effectivement d'abord sous l'aspect descriptif. Mais il faut préciser aussitôt qu'elle est présente essentiellement sous deux formes, dont l'une est relative à la face négative de l'existence et dont l'autre est relative à une certaine positivité de l'existence, en tout cas à une potentialité positive de l'existence. Du côté négatif, nous trouvons l'idée du salut comme délivrance. Or le terme même de «délivrance» n'a de sens que comme libération à l'égard d'une situation vécue et comprise comme malheureuse. Ce qui est premier donc, ici, c'est une interprétation de l'existence humaine comme existence malheureuse. Mais à cette interprétation se superpose la conviction que cet état de malheur n'est pas absolument fatal, qu'il est susceptible d'être surmonté. D'autre part, du côté positif, nous trouvons l'idée du salut comme atteinte d'une vie authentique. Il ne s'agit donc plus simplement d'un affranchissement à l'égard du malheur. Il y a référence à une positivité qui se déploie. Mais cette positivité n'est pas le simple développement de potentialités déjà présentes, elle n'est pas le résultat d'un devenir naturel, l'issue attendue d'un cours naturel des choses, l'actualisation de possibilités, conformément à un certain «telos», comme dans la théorie aristotélicienne du devenir commandé par la forme. S'il est ici question de salut, c'est dans la mesure, au contraire, où la réalisation d'une certaine positivité authentique de l'existence comporte inévitablement un moment de rupture, à tout le moins de distanciation à l'égard de ce qui est normalement assuré. Et corrélativement, cette réalisation est sensée impliquer aussi nécessairement une intervention, correspondant à un moment d'initiative. En ce sens, le salut, ainsi compris positivement, est de l'ordre d'une péripétie, c'est quelque chose qui arrive, et qui, en un sens, n'était pas prévu, n'était pas inscrit dans le déroulement naturel de l'existence, en ce sens n'est pas «naturel». L'initiative qui est ainsi nécessaire peut relever des pouvoirs de l'homme. Mais ce n'est pas certain. Si elle dépend du pouvoir de l'homme, toute la question est de savoir où se situe ce pouvoir, comment on peut le découvrir, comment on peut y faire appel, comment on peut précisément s'appuyer sur lui pour faire advenir ce qu'il a la vertu de procurer. Mais peut-être l'initiative qui doit intervenir n'est-elle pas au pouvoir de l'homme. Alors elle ne peut être conçue que comme un don, que l'homme ne peut pas provoquer, qu'il ne peut que recevoir. Si le salut est accordé comme un don, il ne peut venir que de l'extérieur. Et par rapport à cette extériorité du don, il n'y a, du côté de l'homme, qu'une potentialité réceptrice, indispensable d'ailleurs puisque sans elle la notion même de don n'aurait pas de sens. On pourrait évoquer ici tout ce qu'on a pu dire, dans certains contextes philosophiques, sur le rôle de l'inspiration et, plus radicalement, tout ce qu'on a pu dire à propos de la fonction et du statut du «logos». Le terme «logos» signifie «parole», au sens d'une parole douée de sens, chargée de pensée. D'une certaine manière, la parole c'est ce qui caractérise l'être humain. On a pu définir l'essence de l'homme comme mode d'existence d'un «vivant doué de parole». Il y a donc la parole que nous possédons, qui est nôtre, dont nous avons la maîtrise. Mais il y a aussi la parole qui vient à nous, qui survient pour ainsi dire en nous, qui investit notre propre langage, et par rapport à laquelle nous avons seulement à nous tenir disponibles et à être écoutants. Il y a le logos qui est en nous, constitutivement, et le logos qui parle en nous. Cette parole qui survient est une parole révélante, en ce sens qu'elle fait advenir la signification même de notre existence, qu'elle fait venir en l'existence une forme de vie qui apparaît comme pleinement et vraiment authentique. Bref en ce sens qu'elle constitue la clé d'une existence authentique.

Reprenons plus en détail ces deux aspects de l'idée philosophique de salut, envisagée selon le point de vue descriptif. Considérons d'abord l'idée du salut comme délivrance. Cette idée présuppose, comme on vient de l'indiquer, la conscience d'une situation qui est vécue comme malheur et comme souffrance, mais en même temps, dans cette conscience même, le désir de surmonter cette situation. Cette conscience de malheur n'est pas un jugement qui serait porté de l'extérieur sur la situation, mais au contraire une façon de la vivre et de l'assumer qui vient de son fond même. C'est la situation elle-même qui s'interprète comme situation malheureuse, qui se vit ainsi sous la forme du malheur. Lorsqu'elle se dit, elle ne fait que traduire dans des paroles ce qui est, à titre essentiel, de l'ordre du vécu. On pourrait dire, pour insister justement sur le caractère vécu de cette conscience de malheur, que ce qui est présupposé dans l'idée du salut comme délivrance, c'est la *Stimmung* de la déréliction. Ce terme difficilement traduisible — et que l'on pourrait tenter de rendre dans une certaine mesure par «disposition affective» — indique bien qu'il s'agit ici d'une certaine forme de passivité, d'une façon d'éprouver l'existence, de la manière dont retentit dans le vécu même de l'existence l'état de déréliction qui la caractérise.

Or il y a deux manières de comprendre cette situation de malheur ou de déréliction. Ou bien le malheur est constitutif, appartient à la structure même de l'existence, est donc donné avec elle et ne peut en être séparé. Ou bien il est, en un certain sens, survenu à l'existence; il n'est donc pas inscrit en elle à l'avance et constitutivement, il correspond à un événement qui l'affecte. Examinons la première manière de comprendre la situation malheureuse: le malheur par constitution. Ce qui peut rendre l'existence constitutivement malheureuse, c'est soit sa constitution interne soit son rapport au monde. Il se pourrait que ce soit l'existence elle-même qui, de l'intérieur d'elle-même, est marquée par le malheur et il se pourrait d'autre part qu'elle soit rendue malheureuse par le fait qu'elle est jetée dans un monde qui l'accable. Cependant, si le malheur est véritablement radical, il doit toujours, en définitive, être rapporté à la constitution interne de l'existence elle-même. Lorsque, selon l'interprétation qui paraît à première vue s'imposer, le malheur vient du rapport au monde, ce rapport lui-même n'est vécu en réalité comme malheureux que si constitutivement déjà l'existence est malheureuse. L'existence, en quelque sorte, transforme en conscience de malheur tout ce qui lui est donné. L'homme est étranger dans le monde, il y est mal adapté, mais s'il en est ainsi c'est finalement en raison de possibilités qui sont en lui. S'il s'éprouve comme malheureux dans le monde, c'est parce qu'il est appelé de par sa constitution même à s'insérer dans ce monde et que sa constitution ne le dispose pas à s'y insérer harmonieusement. C'est bien à l'intérieur de lui-même que se trouve la racine du malheur. Nous sommes donc ramenés de toute manière au malheur intérieur.

Nous trouvons, dans la tradition philosophique, trois grands schèmes qui ont servi à penser ce malheur intérieur: le schème de l'âme et du corps, le schème du temps et le schème du désir. Selon le premier de ces schèmes, l'âme et le corps sont considérés non pas dans leur union mais au contraire dans leur séparation: l'âme et le corps sont compris comme des principes qui sont l'un et l'autre constitutifs de la réalité humaine mais qui, en même temps, sont disjoints, qui sont en un sens inséparables en tant que contribuant à constituer une même réalité et en même temps en lutte l'un avec l'autre. Le rapport de l'âme et du corps est pensé comme opposition entre ce qui, en nous, est un pouvoir d'ordre spirituel et ce qui, en nous, est de l'ordre du sensible, c'est-à-dire de l'ordre de ce qui est résistance, inertie, pesanteur. Ou encore comme opposition entre un principe qui est élan et création, par lequel nous participons au divin, et un autre principe, qui est limitation, empêchement, et qui nous entraîne vers le bas, du côté des puissances chtoniques. D'où cette idée, que l'on trouve dans la tradition platonicienne, de l'âme exilée, qui est incapable, aussi longtemps qu'elle est asujettie à être unie au corps, de se retrouver dans son vrai lieu, lequel est ailleurs.

Le malheur peut être pensé aussi — et c'est le second schème — comme provenant de la condition temporelle de l'existence finie. Le temps est compris alors comme un principe de dispersion et de négation. Le temps qui est constitutif de l'existence humaine, le temps vécu, est ainsi une figure qui s'oppose radicalement à la figure de l'éternité. Il est ce qui empêche le maintenant d'être jamais un vrai maintenant et qui asservit ainsi l'existence à la condition d'un insurmontable émiettement. La vie dans le temps est une vie profondément déficiente. La vraie vie est celle d'un pur maintenant, qui est durée sans fragmentation. Il est remarquable que, en certaines de ses plus hautes expressions, la pensée grecque ait pensé la vie bienheureuse comme caractérisée par l'immutabilité. Dans sa célèbre analyse de la nature de l'acte pur, Aristote nous dit qu'il est une pensée toujours égale à elle-même, qui se trouve de façon permanente en un état que nous n'atteignons que de façon fugitive, en de très rares instants, dans la pure expérience de la pensée, précisément. Le sens positif du temps, c'est d'offrir, à travers le mouvement circulaire de l'éternel retour, une sorte d'image dégradée de ce qui est toujours. En ce sens, c'est l'éternité qui est la vérité du temps, mais c'est aussi justement par rapport à l'éternité que se mesure son défaut constitutif et fondamental. Au fond, ce qui apparaît dans cette méditation sur le caractère essentiellement limitatif du temps, c'est la nostalgie de l'éternité. Et cette conscience du temps comme forme d'existence diminuée trouve son expression maximale dans la conscience de la mort, comprise comme la condition ultime de l'existence finie: la vie dans le temps conduit à la mort. Ce schème du temps rejoint ainsi le premier. L'âme, en tant qu'elle est d'une autre contrée que l'ici-bas, est par elle-même immortelle. Mais par suite de son union au corps, elle est d'une certaine manière affectée par la condition de ce qui est mortel. Liée, provisoirement en tout cas, à quelque chose de mortel, elle se trouve empêchée de se trouver là où elle devrait être.

Le troisième schème selon lequel est pensé le malheur de l'existence, c'est celui du désir. Ce qui est considéré comme fondamental, ici, c'est l'opposition du désir et de la satisfaction; le désir est tension de l'être, et cette tension l'affecte constitutivement en tant précisément qu'il est constitutivement séparé de la satisfaction. La structure du désir est liée au corps et aussi au temps. Par le corps l'existence est rivée à l'ici-maintenant et par le temps elle est enfermée dans la particularité toujours recommençante de l'instant. Ainsi elle est toujours séparée de ce dont elle porte cependant en elle l'anticipation et que le langage philosophique appelle l'universel. Le désir est tension : cela signifie qu'il est rapport à, mais en même temps distance par rapport à ce vers quoi il dirige l'effort de l'existence. Même lorsqu'il y a satisfaction, elle n'est jamais que partielle et transitoire. Le désir renaît sans cesse. L'existence va de terme en terme, sans jamais trouver de repos, parce qu'elle se meut toujours dans le limité, alors que le désir qui l'habite va vers l'illimité. L'existence est ainsi une quête infinie et cette quête même symbolise l'illimité vers lequel elle tend sans pouvoir y accéder. Le désir voit à travers chaque chose l'image et le symbole de l'illimité, mais il voit en même temps ce qui l'en sépare radicalement, ce qui fait obstacle, pour lui, à l'accession à l'illimité.

Voilà donc quelques indications que l'on peut trouver dans l'histoire de la philosophie à propos de cette idée d'un malheur qui serait inscrit dans la structure même de l'existence. Mais, comme on l'a indiqué déjà, il y a une autre manière de penser le malheur, c'est de le penser comme un état qui est survenu, qui a un caractère événementiel. Ici nous rencontrons deux grands thèmes philosophiques, le thème de l'aliénation et celui du mal. Le thème de l'aliénation est étroitement lié à la réflexion philosophique sur l'histoire : dans la pensée philosophique de l'aliénation, c'est bien l'histoire qui est interprétée comme le lieu où se produit l'aliénation. On peut considérer d'ailleurs qu'il y a, dans cette pensée, une sorte de projection, de transposition sur l'histoire du thème du mal, si bien que les deux thèmes, celui de l'aliénation et celui du mal, sont en réalité étroitement liés. Ce thème de l'aliénation se trouve pleinement développé dans la philosophie hégélienne et il a été repris en des termes plus concrets dans le marxisme. Chez Hegel, la réflexion sur le thème de l'aliénation est franchement métaphysique : l'alinéation, c'est la mise à l'extérieur de soi de la réalité absolue. Or cette péripétie originaire est la clé de la compréhension du fini, considéré à la fois du point de vue de son existence même et du point de vue des figures diverses qu'il prend dans son développement historique. Il y a donc une péripétie essentielle, qui appartient à l'essence même de l'absolu, et qui est sa séparation d'avec lui-même. Mais cette péripétie, qui affecte ainsi l'absolu, est la constitution même de la réalité finie et du rapport du fini à l'infini. La réalité finie est en un sens à la fois le produit et la manifestation visible de l'aliénation. Mais elle est en même temps le lieu d'un processus qui est le retour de l'absolu en lui-même, qui signifie donc le dépassement et la suppression de l'aliénation. Ce retour de la réalité absolue en elle-même s'accomplit, dans le système hégélien, sous une forme qui est présentée comme celle de la réflexion absolue. Il y a donc bien le mouvement de la dispersion, de l'extranéation de la réalité absolue. Mais il y a aussi, corrélativement, le mouvement du retour de la réalité absolue à elle-même.

Dans le marxisme, le schème métaphysique de l'aliénation est, pourrait-on dire, entièrement réinterprété dans une perspective anthropologique, et plus exactement même strictement historique. L'aliénation, c'est une situation humaine, tout simplement, en vertu de laquelle l'essence humaine est séparée d'elle-même et rendue comme étrangère à elle-même. Elle se manifeste aux différents niveaux de l'existence sociale, dans toutes les formes de la culture et de la socialité, religion, idéologie. Etat, société économique, travail. Or cet état d'aliénation, en ses différentes figures, a sa source dans une péripétie historiquement situable, à savoir dans l'appropriation privée des moyens de production, qui s'est établie originairement par le fait de la violence. A partir du moment où il y a cette appropriation, il y a séparation entre les détenteurs des moyens de production et les travailleurs. Et de là découle l'expropriation, par les premiers, d'une partie du produit du travail des seconds. Ce qui entraîne l'aliénation du travail et du travailleur lui-même et à partir de là, de proche en proche, toutes les autres formes d'aliénation. Mais s'il y a un processus historique par lequel l'aliénation est entrée dans le monde humain, il y a aussi la possibilité historique de la surmonter de façon radicale, par suppression de la source d'où elle dérive. La possibilité objective de cette suppression, c'est-à-dire concrètement de la suppression de l'appropriation privée des moyens de production, a émergé historiquement dans la période contemporaine, plus exactement dans la forme capitaliste d'organisation de l'économie. Car dans le capitalisme l'aliénation a atteint une forme extrême, qui crée les conditions mêmes qui rendent objectivement possible sa suppression et en même temps qui rendent objectivement possible, avec la suppression de cette forme historique ultime de l'aliénation, la suppression de l'aliénation elle-même. C'est que le caractère essentiel de ce système économique, c'est l'abstraction : dans les rapports capitalistes de production, le travailleur devient purement et simplement une force de travail, qui se négocie comme une marchandise, il est donc séparé de son être, de sa réalité en tant que personne. Par là l'aliénation atteint, dans le statut social du travailleur, sa forme la plus extrême. Et c'est à partir de cette forme extrême que l'on peut commencer à penser concrètement le processus par lequel l'aliénation peut être surmontée.

Mais à côté de ce thème de l'aliénation, il y a le thème du mal. Du mal considéré comme réalité morale, intérieure. L'aliénation, c'est en quelque sorte un mal extérieur, projeté dans des réalités historiques. Le mal proprement dit est plus profondément enraciné dans la réalité humaine. La philosophie qu'il faut évoquer ici est celle de Kant. L'origine de la problématique du mal est sans doute théologique, mais Kant considère que la réalité du mal est accessible à la raison réfléchissante, en tout cas dans une certaine mesure. On peut constater l'existence du mal : cette constatation, comme telle, reste encore en dehors de la philosophie. Mais ensuite on peut réfléchir sur la nature de ce qui se montre ainsi dans la pratique humaine. Le rôle de la philosophie est de penser conceptuellement cette réalité. Elle ne pourra sans doute pas l'expliquer, mais elle pourra à tout le moins tenter d'en indiquer la nature et le lieu. Il y a, nous dit Kant, un *penchant* au mal dans la nature humaine : voilà ce qu'il faut commencer par reconnaître. « Par *penchant* (*propensio*), j'entends le fondement subjectif de la possibilité d'une inclination (appétit habituel, *concupiscentia*) en tant que contingente pour l'humanité en général » ([1]). Il s'agit donc d'une inclination « contingente », donc non nécessaire, non déductible de l'essence humaine (à supposer même que l'on dispose effectivement d'un concept de cette essence). Il s'agit donc d'une réalité dans l'homme qui est de l'ordre de ce qui arrive, de ce qui survient, d'une réalité qui se surajoute ainsi d'une certaine manière à l'essence humaine.

Mais en quoi consiste ce penchant ? Kant en donne l'interprétation suivante (dans une démarche qui va plus loin que la simple constatation, qui est déjà franchement philosophique) : « La proposition : L'homme est mauvais, ne peut vouloir dire autre chose d'après ce qui précède que : Il a conscience de la loi morale et il a cependant admis dans sa maxime de s'en écarter » ([2]). Le mal consiste donc, selon le concept même, à adopter une maxime qui contredit la loi morale. La possibilité du mal, c'est la possibilité d'adopter une telle maxime.

---

(1)   E. Kant, *La religion dans les limites de la simple raison (1793)*, Traduction par J. Gibelin, 2ème édition, Paris, Librairie Philosophique J. Vrin, 1952, p. 48.

(2)   *Ibid.*, p.52.

Concrètement, on peut, selon Kant, distinguer trois degrés dans ce pendant en lequel réside le mal. «*Premièrement*, d'une manière générale la faiblesse du cœur humain lorsqu'il s'agit de se conformer aux maximes ou la *fragilité* de la nature humaine ; *deuxièmement*, le penchant à mêler des motifs immoraux aux motifs moraux (même si cela arrivait dans une bonne intention et au nom de maximes du bien) : c'est-à-dire *l'impureté* ; *troisièmement*, le penchant à adopter de méchantes maximes, c'est-à-dire la *méchanceté* de la nature humaine ou du cœur humain» (³).

Or, nous dit Kant, le principe du mal ne peut être placé dans la sensibilité, dans les inclinations naturelles, qui sont de l'ordre du fait, du donné. Le mal est une réalité d'ordre moral, qui concerne le sujet comme être éthiquement responsable, comme sujet de liberté. En tant qu'il est d'ordre moral, le penchant au mal doit être imputé au sujet «comme étant sa propre faute» (⁴). Mais d'autre part on ne peut pas chercher non plus le principe du mal dans une dépravation de la raison législatrice, car ce serait contradictoire. «Se considérer comme un être agissant librement et dégagé cependant de la loi qui lui est conforme (la loi morale) reviendrait à concevoir une cause agissant en dehors de toute loi (car la détermination suivant des lois naturelles ne joue plus du fait de la liberté) ; ce qui se contredit» (⁵). Ce qui justifie cette affirmation de Kant, c'est que la loi dont il est question ici, la loi morale, est l'expression de l'essence même de la liberté, en ce sens qu'elle exprime l'exigence même qui constitue la liberté comme telle, à savoir l'autonomie. Une liberté qui rejetterait la loi morale serait une liberté qui rejetterait sa propre loi constitutive et qui, ainsi, se contredirait elle-même. «Quoique l'existence de ce penchant au mal dans la nature humaine puisse être montrée par des preuves d'expérience tirées de l'opposition effective du libre arbitre humain à la loi, dans le temps, ces preuves cependant ne nous renseignent pas sur le caractère véritable de ce penchant ni sur le fondement de cette opposition ; mais au contraire ce caractère, parce qu'il concerne un rapport du libre arbitre (dont le concept n'a rien d'empirique) à la loi morale en tant que motif (dont le concept est de même purement intellectuel), doit être reconnu *a priori* d'après le concept du mal en tant que celui-ci est possible

---

(3) *Ibid.*, p.49.
(4) *Ibid.*, p.56.
(5) *Ibid.*, p.56.

en vertu des lois de la liberté (de l'obligation et de l'imputabilité)»(⁶).
La racine de ce penchant au mal doit donc finalement être cherchée dans
le libre arbitre lui-même; il est «en conséquence imputable», il est «mauvais moralement»(⁷). Mais reconnaître cela, c'est reconnaître que le mal
en question est «radical», et cela signifie qu'il «corrompt le fondement
de toutes les maximes»(⁸). C'est un mal qui atteint la liberté à sa racine
même, qui atteint ce pouvoir en nous de poser nous-mêmes les maximes
d'après lesquelles nous devons agir (non pas au sens où nous les poserions
arbitrairement, mais au sens où nous reconnaissons en et par nous-mêmes
leur contraignance).

Mais en tant qu'il est radical, le mal a un caracètre insondable. Ici
la philosophie rencontre en quelque sorte une limite infranchissable. Kant
pose le problème de l'origine du mal. Que peut être une origine? Ce doit
être une cause première, c'est-à-dire une cause «qui n'est pas à son tour
effet d'une autre cause de la même espèce»(⁹). Or on peut concevoir une
origine temporelle ou une origine rationnelle. Mais il n'y a aucun sens à
assigner une origine temporelle à une action libre en tant que telle. Or les
actions mauvaises ne sont mauvaises que dans la mesure où elles sont
libres; le mal est de nature morale. Elles ne sauraient donc avoir une origine sous la forme d'un antécédent dans le temps. «Quand l'effet est rapporté à une cause qui lui est unie d'après des lois de liberté, comme c'est
le cas dans le mal moral, la détermination du libre arbitre pour le produire
n'est pas conçue comme unie à son principe de détermination dans le
temps, mais simplement dans la représentation rationnelle et on ne peut
la faire découler de quelque état *antérieur*»(¹⁰). La «représentation
rationnelle» dont il est ici question, c'est la position de la maxime, qui
est la véritable motivation de l'acte libre. Mais si on ne peut assigner au
mal une origine temporelle (puisque cela reviendrait à subordonner la
liberté au déterminisme), on ne peut davantage lui assigner une origine
rationnelle. Car rapporter le mal à une telle origine, ce serait rapporter la
décision qui a introduit le penchant au mal (la disposition à adopter des
maximes mauvaises) à une maxime, qui n'aurait pu être, en l'occurrence,

(6)   *Ibid.*, p.56.
(7)   *Ibid.*, p.58.
(8)   *Ibid.*, p.58.
(9)   *Ibid.*, p.60.
(10)   *Ibid.*, p.61.

qu'une maxime mauvaise. Pour donner au mal une origine rationnelle, il faudrait, en d'autres termes, que l'on puisse concevoir comme un premier moment dans lequel la liberté se serait librement corrompue, selon une détermination rationnelle, donc selon une maxime mauvaise ; mais la liberté n'aurait pu invoquer une telle maxime que si elle avait déjà été préalablement corrompue. Nous n'arrivons donc pas à assigner une origine au mal ; nous nous heurtons là à une sorte de mystère. « Il n'existe donc pas pour nous de raison compréhensible pour savoir d'où le mal moral aurait pu tout d'abord nous venir » ([11]).

Par rapport au mal ainsi entendu, le salut ne peut consister qu'en une péripétie qui pourrait nous en délivrer. Il faut examiner si cela est possible. Or le penchant au bien subsiste en nous. La loi morale s'impose irrésistiblement « en vertu de la disposition morale » ([12]) de l'être humain. L'homme n'est donc pas entièrement corrompu. Il garde en lui la possibilité de revenir à un état d'où le mal serait éliminé. (Ce qui ne signifie pas nécessairement qu'il a en lui-même la capacité de se délivrer du mal). C'est en cela que se fonde l'espérance. « Ainsi en l'homme qui malgré la corruption de son cœur garde encore la bonne volonté, demeure l'espérance d'un retour au bien dont il s'est écarté » ([13]).

Après avoir ainsi évoqué l'idée du salut comme délivrance, examinons l'idée du salut sous sa modalité positive, comme accès à la vie authentique. Nous trouvons ici l'opposition entre la vie simplement donnée, qui est vraie mais qui n'est encore vie qu'en un sens limité, et d'autre part la vie la plus haute. La vie telle qu'elle est donnée n'est pas considérée comme malheureuse ; au contraire même, elle est considérée en elle-même comme satisfaisante. Il faut précisément avoir déjà accès à la vie supérieure pour voir l'insuffisance de la vie simplement donnée. Mais c'est aussi précisément le passage à cette vie supérieure qui est l'affaire essentielle de l'existence. On pourrait évoquer ici le célèbre récit platonicien de la caverne. Les hommes qui vivent dans la caverne ne voient que des ombres ; pour eux, c'est là la vraie réalité, ils n'imaginent pas autre chose. Si on les conduit à l'extérieur, devant les choses authentiques, ils sont éblouis par la lumière. Celle-ci est pour eux d'abord une souffrance ; c'est pourtant dans cette région de lumière qu'il y a la « vraie vie ». Ce

---

(11) *Ibid.*, p.65.
(12) *Ibid.*, p.57.
(13) *Ibid.*, p.66.

qui mérite particulièrement d'être souligné dans ce récit, c'est qu'il y a une vérité des ombres, pas seulement d'un point de vue psychologique, en ce sens que les habitants de la caverne sont satisfaits de leur sort parce qu'ils y sont accoutumés, mais en ce sens que les ombres sont les projections des choses vraies, qu'elles donnent déjà un accès, quelque imparfait qu'il soit, à la réalité authentique.

La connaissance de la réalité authentique, c'est là la vie authentique. La tradition philosophique a certainement conçu la vie authentique avant tout sous la forme d'un savoir vrai, ou plus exactement d'un savoir suprêmement vrai. Il s'agit d'atteindre la connaissance la plus haute. On représente souvent cette connaissance comme le degré supérieur d'une échelle qualitative, qui part de la connaissance sensible et traverse les différents paliers du savoir. Il y a une ascèse de l'esprit qui doit lui permettre de parcourir les degrés de la connaissance et de s'élever ainsi progressivement jusqu'au savoir supérieur. La tradition philosophique, qui a ainsi donné tant de poids au savoir, n'a pas négligé pour autant la dimension de l'action. De même qu'il y a un savoir vrai, il y a une action juste ; à la rectitude de la pensée fait pendant la vertu dans l'ordre de l'agir. Mais l'action juste est celle qui s'accorde à ce qui est véritablement, qui assume la situation humaine en sa vérité, telle qu'elle peut apparaître du point de vue d'une vision englobante, qui la perçoit en sa juste place au sein de la totalité. Or une telle vision est celle qui procède de la connaissance des principes. Et cette connaissance est précisément la forme supérieure du savoir. Il y a donc dépendance de l'ordre de l'action à l'égard de l'idée d'un savoir pleinement vrai.

Or cette idée du savoir vrai, ou plutôt la pensée de la relation au savoir vrai, s'accompagne, en tout cas dans certaines grandes philosophies, de l'idée qu'on ne peut y accéder que grâce à une rupture et à la faveur d'une intervention qui doit venir de l'extérieur de l'homme. On trouve une très belle présentation de cette idée dans le *Poème* de Parménide. Le jeune homme dont il est question dans le prologue du poème, et qui apparaît comme un candidat à l'initiation, est conduit par les messagères de la déesse « au-delà de toute cité ». Il doit franchir les limites des cités pour accéder à un domaine qui est gardé par la Justice ; c'est seulement après avoir franchi la porte de ce domaine qu'il est introduit en présence de la déesse. Celle-ci lui annonce qu'elle va lui révéler « le cœur sans tremblement de la vérité ». Et elle lui explique qu'il y a une séparation originaire et radicale entre la voie et la non-voie, et que sur la voie elle-même il y a deux sortes de discours, celui qui est absolument vrai et celui de l'opinion, qui n'est pas dépourvu de vérité mais qui est accordé au statut mouvant du phénomène. Le jeune homme est donc conduit; il doit passer dans une région non familière, dans un domaine qui est hors de toute familiarité. Mais ce n'est pourtant pas sans une certaine correspondance en lui. Le poème commence ainsi: «Les cavales qui m'emportent m'ont conduit aussi loin que mon cœur pouvait le désirer». Il y avait donc un pressentiment, une attente, une tension, un désir de la vérité. Mais pour que celle-ci devienne effectivement accessible, il fallait l'intervention de la déesse.

Ceci marque bien la structure de la démarche. D'une certaine manière, l'accès à la plus haute vérité n'est pas naturel; ce n'est pas le simple développement du vécu. Il faut qu'intervienne une rupture, une conversion, et il faut toute une ascèse de l'esprit pour la préparer. Mais la démarche par laquelle est ménagé l'accès au savoir authentique prend tout de même appui sur une tension qui est constitutivement en nous et qui est le désir. Elle ne peut toutefois s'accomplir que si la situation de départ, qui correspond au cours ordinaire de l'existence, est vécue dans son insuffisance. Mais elle ne peut être saisie comme insuffisante que du point de vue de la vision authentique. Il faudrait donc, pour que la conversion puisse commencer, qu'elle ait déjà eu lieu. C'est dire qu'elle ne peut commencer d'elle-même. On comprend dès lors qu'une intervention extérieure apparaisse nécessaire.

On retrouve cette idée de l'accès à un savoir pleinement authentique dans des philosophies qui sont chronologiquement plus proches de nous. Ainsi chez Spinoza il est question de la «connaissance du troisième genre», qui est une vision du réel «sub specie aeternitatis» et qui constitue un savoir totalement adéquat. Chez Hegel, la réflexion philosophique s'élève au point de vue de l'absolu et embrasse alors le réel en totalité; le saisissant en son processus constitutif le plus central, elle le voit se déployer selon le système complet de toutes ses figures. Heidegger introduit la péripétie d'une sorte de retournement de la pensée, la *Kehre*, qui doit nous ouvrir à l'entente de l'être. Mais cette sorte de conversion du regard n'est pas le fait d'une décision volontaire; c'est plutôt ce qui nous accorde à une survenance, l'*Ereignis*. Ce terme signifie à la fois «événement» et «appropriation», c'est l'événement appropriateur. Il ne s'agit pas d'une appropriation qui serait notre fait, d'un acte subjectif par lequel nous nous approprierions quelque donné, mais d'une appropriation par rapport à laquelle nous sommes passifs, en vertu de laquelle nous sommes appropriés à ce qui se joue dans l'événement. Dans cette appropriation qui ainsi nous concerne s'annonce une destination ; elle a le sens d'un envoi, d'une mission qui vient de l'être. Dans un tout autre contexte, Wittgenstein nous décrit (dans le *Tractatus logico-philosophicus*) un cheminement qui, du milieu même du discours, nous fait découvrir les limites du discours. Le *Tractatus*, qui est lui-même discours des limites, nous place ainsi, à la fin, en un lieu où nous *voyons* ce qu'il en est du monde. Nous découvrons l'énigme du « il y a » (le fait qu'*il y a* le monde) et nous voyons chaque chose, et le monde lui-même, dans la perspective de cette énigme fondamentale. En elle se fait valoir l'opposition irréductible et au fond incompréhensible entre ce qui est réel et ce qui est simplement possible. Voir le monde dans cette perspective, c'est bien autre chose que saisir les relations mutuelles entre ses éléments constituants. Cela, c'est l'affaire de la science. La philosophie nous conduit sur un chemin très différent, où, lorsqu'il bute sur la limite, s'arrête le discours. Mais alors précisément se montre l'énigme ; celui qui a suivi ce chemin et qui est passé pour ainsi dire au-delà du discours « acquiert une juste vision du monde ». On pourrait dire que cette vision, c'est celle de celui qui s'est accordé à l'énigme, à ce que Wittgenstein appelle « Das Mystische ».

Que signifie cette idée d'une intervention ? Sans doute est-ce la représentation d'une certaine destinée de l'esprit. S'il y a le désir, c'est qu'il y a une possibilité qui s'ouvre pour l'existence. Elle est présente d'abord de façon non consciente. Et elle ne devient consciente que du point de vue d'un accomplissement qui se fait en nous et comme malgré nous. Ce qui s'accomplit ainsi est de l'ordre d'un événement en lequel l'accès à la vision authentique nous est donné. Le discours qui dit cet accomplissement est second par rapport à lui. On peut parler peut-être d'éclairement, d'illumination même. Mais ce n'est en tout cas pas le discours qui la décrit qui, comme tel, peut la procurer. La philosophie décrit le cheminement, elle suggère par là le moment vers lequel il conduit. Mais elle ne remplace pas ce moment lui-même, l'événement même de l'illumination. Le récit que donne la philosophie ne dispense pas le lecteur de ré-effectuer pour lui-même ce qui est évoqué dans le récit. On peut dire que, dans ce qui s'accomplit, c'est l'esprit qui se révèle à lui-même dans ses possibilités les plus hautes. Mais c'est néanmoins en vertu d'une donation : il lui est *donné* d'être ainsi révélé à lui-même.

Mais il faut bien voir ce que signifie cette révélation. Si l'esprit est mis explicitement, consciemment, devant ses plus hautes possibilités, ce n'est pas seulement au sens où son essence intime lui serait rendue accessible mais c'est au sens où il lui est donné à voir ce qui est en vérité. L'esprit est révélé à lui-même en tant qu'il se découvre en sa capacité de voir le vrai, en tant qu'il est capable de s'élever à la « theôria », de s'accorder à ce qui est en vérité. Or s'il peut se saisir en cette capacité, c'est dans la mesure où ce qui est en vérité lui est effectivement rendu accessible. L'événement, c'est que cela qui est en vérité se donne à percevoir, et donne à la vision même qui le perçoit de devenir principe d'une vie. Ce qui est ainsi accordé à l'être humain, c'est une vie harmonisée à la vérité, conçue non pas comme ensemble de propriétés abstraites mais comme la réalité même, se montrant en ce qu'elle est. Ce qui se donne à la vision, c'est la réalité authentique, c'est-à-dire la réalité pleinement manifestée. La « vie authentique » renvoie à la « réalité authentique » : c'est d'elle, entièrement, qu'elle se reçoit.

S'il y a un don qui est fait à l'esprit, c'est de la réalité authentique qu'il provient. Et il consiste en ceci, que cette réalité se rend accessible. Or le processus par lequel elle se rend accessible c'est la manifestation. A vrai dire, ce qui se montre ainsi dans l'illumination philosophique n'est pas en totale discontinuité avec ce qui se montre déjà dans l'expérience ordinaire : c'est plutôt, d'une certaine manière, la continuation et le plein accomplissement du processus de la manifestation, tel qu'il s'annonce déjà en ses figures les plus élémentaires. Justement, ce qui manque à l'expérience ordinaire c'est la possibilité d'aller jusqu'au bout de la manifestation. Le savoir accompli, c'est celui qui réussit à comprendre adéquatement la manifestation, c'est-à-dire à remonter jusqu'au principe même de la manifestation. Ce qui se produit dans l'illumination, c'est, pourrait-on dire, la manifestation du principe de la manifestation. Ce n'est plus alors la chose même qui apparaît, en sa singularité, mais ce à partir et en vertu de quoi toute apparition peut avoir lieu.

Il faudrait peut-être signaler ici, entre parenthèses, qu'il y a lieu de distinguer nettement manifestation et révélation. La manifestation, comme on vient de l'indiquer, même en sa forme accomplie, est en continuité avec l'immédiat, elle en est la vérité (en ce sens qu'elle en fait saisir la signification immanente). Elle rend visible sous forme pleinement développée ce qui se donnait déjà dans l'immédiat de manière encore enveloppée. Mais ce développement n'est saisissable que du point de vue du savoir le plus authentique, qui saisit précisément la signification la plus profonde de ce qui apparaît dans l'immédiat. On peut exprimer cela en disant que le savoir authentique, comme compréhension adéquate de la manifestation, est la vision, dans le phénomène, de son principe ou de son fondement. La révélation, par contre, n'est pas simplement la vérité du phénomène, le plein développement de la manifestation. Elle est l'ouverture de la vie interne du principe, de son secret, *en tant* précisément que celui-ci est soustrait à la manifestation. La révélation est donc comme en excès et en rupture par rapport à la manifestation. Elle est donc totalement gratuite, elle est un don qui vient se surajouter à ce qui est donné dans la manifestation. Ceci est peut-être une façon d'exprimer ce qui correspond à l'idée classique de la gratuité du surnaturel.

Mais en quoi tout ceci concerne-t-il l'idée du salut? En ceci précisément qu'il y a, dans la vie authentique, accomplissement d'une potentialité qui n'est possible que grâce à un don, qui n'est donc pas exigé, comme un moment nécessaire, appartenant au déroulement naturel de l'existence humaine. Cet accomplissement est peut-être attendu, demandé, il est l'objet d'un désir, il n'est pas la conséquence d'un déroulement nécessaire. Or c'est par lui cependant, par l'accès à la manifestation en plénitude, par la vie authentique, que le vécu actuel prend son sens, s'inscrit dans un horizon, une totalité, une unité, un fondement. Ceci est inscrit dans la structure même de la manifestation (considérée en sa forme pleinement accomplie): il y a le moment où se découvre le principe et il y a le moment du reflux, de la rétroversion du principe sur l'immédiat, le phénomène, le vécu, moment qui fait voir le vécu immédiat comme lieu de la manifestation, donc comme médiation, et par conséquent comme ayant déjà en lui une certaine vérité, la vérité de l'ombre. Par là l'immédiat est *assuré*, la vie en ses plus humbles expressions est gardée, c'est-à-dire affirmée en sa valeur, conservée contre son effacement, contre sa propre impuissance. Mais cela ne peut se produire qu'à la faveur d'un processus qu'il faut bien appeler une surélévation: la vie, en son immédiateté, apparaît comme *moment* d'une manifestation en plénitude, qui la recueille en elle et la marque de sa propre vertu. La vie, dès lors, apparaît comme transfigurée: ce qui n'était *que* le phénomène, enfermé en sa limitation, est vu maintenant comme moment du déploiement de la vie universelle, comme moment du déploiement de la réalité authentique. Ou encore, pour exprimer la même idée autrement, on pourrait dire que la vie immédiate est *transvaluée*. Sa valeur est ailleurs, dans le cœur même de la réalité authentique. Mais elle n'est pas fausse ou illusoire pour autant. Elle a sa vérité, partielle et limitée. Mais quand elle est assumée dans la vie authentique elle apparaît plus vraie et plus valable qu'elle ne paraissait l'être quand elle était vue seulement dans sa limitation.

b. Le point de vue performatif

Après avoir ainsi examiné le concept philosophique de salut dans ses connotations descriptives, nous devons l'examiner dans ses connotations performatives. Nous rencontrons ici, dans le prolongement d'ailleurs de ce qui précède, une conception de la philosophie selon laquelle celle-ci se comprend elle-même comme sagesse. Or la sagesse est considérée comme un état supérieur, qui ne va pas de soi, qui ne se réalise pas spontanément ; c'est un état désirable, que l'on désire effectivement quand on a commencé à l'entrevoir, mais qui n'est atteignable qu'à certaines conditions, relativement exigeantes. En somme, l'idée de sagesse est la version philosophique la plus approchée de l'idée de salut. La vie selon la sagesse c'est la vie pleinement authentique. On ne peut en décrire à l'avance le contenu ; celui-ci ne se révèle que quand on a déjà atteint cette forme de vie. Mais on peut en avoir le pressentiment, le viser plus ou moins confusément, et prendre les dispositions nécessaires pour se mettre en chemin dans sa direction.

Mais comment, au juste, la philosophie se représente-t-elle l'accès à la sagesse ? Comme un cheminement qui est essentiellement de l'ordre du savoir. Mais il ne s'agit pas de n'importe quel savoir, il s'agit d'un savoir radical, c'est-à-dire qui pénètre jusqu'aux racines de la réalité. C'est un savoir qui porte sur les principes des choses et du réel tout entier, qui porte sur l'« archê », sur ce qui commande le déploiement de ce qui est. Précisément, l'essentiel de la découverte qu'a réalisée la démarche philosophique, au sens originel du terme, c'est celle de la dimension des principes. Mais pour accéder véritablement à cette dimension, il faut tout un cheminement, d'abord pour se ménager un accès à l'ordre des principes comme tel, ensuite pour élaborer les concepts grâce auxquels il sera possible de transcrire dans des propositions la constitution interne de l'univers des principes.

Si un tel savoir — le savoir des principes — peut procurer la sagesse, c'est qu'il transforme l'existence. Il n'est pas seulement une vision, il est aussi une action, par laquelle l'existence s'affecte elle-même et à la faveur de laquelle elle est comme transportée en un autre lieu. Sans doute y a-t-il bien priorité de la « theôria », mais celle-ci commande l'action juste, et la vision qui est donnée par la « theôria » enveloppe ainsi en elle-même la dimension de l'action. Il faudrait évoquer ici la doctrine de la vertu-science et l'immense problème qu'elle soulève. Selon cette doctrine, il suffit de connaître le bien pour agir correctement. Est-ce réellement suffisant ? Peut-être la connaissance de ce qui est juste est-elle une condition nécessaire de l'action juste, mais cela même n'est pas certain. Peut-être le savoir ne fait-il que donner expression à une forme de conscience qui le précède. Peut-être y a-t-il une conscience du bien qui précède tout savoir et même toute règle. La tâche de la philosophie, en tant qu'elle vise à un savoir, ne serait dès lors pas de déterminer le contenu concret du bien, qui est donné dans cette conscience préphilosophique, mais de dire ce qu'il en est de la dimension du bien et de tenter d'en dégager explicitement les principes. En tout cas, il paraît bien difficile de soutenir que la connaissance du bien est une condition suffisante de l'action juste. Outre qu'il y a sans doute constitutivement un hiatus entre la connaissance et l'action, qui ne peut être franchi que par une initiative qui n'est pas de l'ordre de la connaissance, il faut tenir compte de la présence du mal (dont il a déjà été question dans ce qui précède), qui introduit à l'intérieur même de l'action un principe capable de contredire ce qui est reconnu théoriquement comme bien.

Quoi qu'il en soit de cette question du rapport entre le savoir et la vertu, ce qui est certain c'est que la philosophie a été considérée par certains de ceux qui en ont été les porteurs comme une pratique de l'esprit, comme une action de l'esprit sur lui-même, qui est de nature à conduire à la vie authentique. Plus précisément, selon cette conception, la philosophie réalise cet acheminement vers la vie authentique par le moyen d'un discours, qui décrit la vie authentique et la manière dont on y arrive. Mais une telle description est inséparable de son effectuation. Décrire l'accès à la vie authentique, c'est se mettre effectivement en chemin vers elle ; le fait même de s'engager dans une telle description, c'est très précisément s'engager sur le chemin qu'elle décrit, c'est donc assumer l'engagement même qui est décrit. C'est ici que se montre l'aspect performatif de l'idée de philosophie comme salut.

Le savoir authentique est savoir de soi, et en même temps savoir du monde, du réel, mais du réel considéré en sa vérité, ou encore, selon le langage même de la philosophie, en son principe. Le véritable savoir est un : il est savoir de soi dans le savoir du monde, il consiste à se voir dans la vérité du monde, c'est-à-dire dans son principe, à se voir ainsi en tant qu'on s'inscrit dans la totalité. Se voir de la sorte du point de vue même du tout, c'est se voir en sa vérité. Et c'est là précisément ce qui constitue la sagesse.

La forme la plus accomplie et la plus conséquente d'un tel savoir, c'est celle d'une vision qui opère à partir même du principe, qui se place en quelque sorte dans le lieu même du principe et qui comprend toute chose à partir de ce lieu. Ainsi chez Spinoza, la philosophie est conçue comme éthique, c'est-à-dire comme un itinéraire de l'esprit qui le conduit, à travers des purifications successives, jusqu'à une forme supérieure de savoir, en et par laquelle l'esprit connaît la réalité et se connaît lui-même du point de vue même de l'éternité. Dans la philosophie hégélienne, le savoir prend la forme d'une réflexion, et même d'une réflexion absolue, en laquelle la réalité absolue elle-même fait retour vers elle-même. Le discours philosophique consiste en l'effectuation, dans la dimension du concept, de cette réflexion. Il représente donc une péripétie par laquelle l'être humain prend en quelque sorte sur lui l'effectuation même du réel, qui n'est autre que l'extranéation de l'absolu et son retour à lui-même, donc réflexion absolue. L'effectuation du savoir, en son expression discursive, est la réeffectuation du processus en lequel consiste son contenu. En ce sens, le savoir réalise la superposition de son effectuation et de son contenu. Par lui, par conséquent, l'esprit s'élève à une forme de vie en laquelle il assume en lui la vie de l'absolu.

Mais il faudrait évoquer aussi une forme moins radicale de cette idée de la philosophie comme salut, que l'on peut trouver dans la pensée kantienne. La philosophie, pour Kant, n'est pas elle-même le salut mais elle procure à l'esprit l'indication de la pure dimension morale, qui est celle de la vie authentique. La philosophie n'accomplit donc pas elle-même la vie authentique mais elle contribue à son avènement. Elle est comme un appel à la réalisation de la vie authentique. Et elle réalise elle-même une partie de l'itinéraire qui y conduit, en aidant l'esprit à se dépouiller des illusions qu'il entretient sur lui-même, en lui faisant découvrir sa propre essence, la liberté, et la loi de la liberté, qui est de réaliser le souverain bien, et en lui montrant aussi ce qui contredit en lui cette pure loi de la liberté, à savoir l'amour de soi (en sa particularité), et en définitive le mal radical, qui est précisément le principe de cet amour de soi. Ici se révèle une déchirure interne qui nous renvoie à la problématique du mal, mais aussi à l'idée d'espérance : si le mal est contingent, bien qu'il soit pour nous, du point du vue philosophique, insondable, nous pouvons avoir rationnellement l'espérance d'en être délivrés, bien que cependant pas par nos propres forces. Cette forme de philosophie, en laquelle, par rapport au salut, la pensée philosophique reconnaît elle-même ses propres limites, est performative à sa manière. Non pas en ce sens qu'elle prétendrait procurer le salut par son effectuation même, mais en ce sens qu'elle culmine dans un acte d'espérance : l'effectuation du discours qui *dit* l'espérance est l'effectuation même de l'acte d'espérance, dont ce discours dit le contenu.

Il s'agira maintenant de voir comment ces différentes conceptions philosophiques, qui sont comme des approximations ou des analogues de l'idée de salut, connotent l'idée d'universalité. Mais on peut dire que cela va presque de soi.

2. LE CONCEPT PHILOSOPHIQUE DE SALUT CONNOTE-T-IL UNE IDÉE D'UNIVERSALITÉ, ET EN QUEL SENS ?

Les considérations relatives aux structures de l'existence humaine, à ses dispositions, à ses potentialités, et même celles qui sont relatives à des événements, comme l'intervention de péripéties susceptibles de transformer l'existence, concernent évidemment l'homme comme tel, en toute généralité. Et la description qui est faite du cheminement vers la vie authentique concerne évidemment l'être humain en ses possibilités essentielles. Ceci correspond du reste à l'idée même de la philosophie comme entreprise de la raison. La philosophie tente d'élaborer un savoir, c'est-à-dire une représentation par concepts. Ce projet n'est réalisable (même si ce n'est que partiellement) qu'en vertu d'un pouvoir qui est en nous, et qui est précisément la capacité de penser par concepts : la raison. Or le concept est la saisie de ce qui appartient à la constitution essentielle de l'objet. Il n'y a pas véritablement « science », savoir au sens fort, de l'individuel. (Il y a bien un problème philosophique de l'individualité, du statut de l'individu en tant que tel, mais c'est tout autre chose). Ce qui se dit et devient manifeste dans le discours philosophique, en tant qu'il est un discours conceptuel, c'est donc bien ce qui appartient aux structures essentielles de l'existence et du réel. Ce discours est possible comme discours de la raison parce que la raison elle-même appartient à la structure essentielle de l'être humain. Elle est ce *lumen naturale* par lequel et en lequel l'être humain peut se comprendre en sa structure essentielle. Ce discours est donc de soi universel, en ce sens qu'il n'est lié à aucune particularité de temps ou de lieu.

Mais il faudrait, pour répondre de façon précise à la question posée, distinguer deux formes d'universalité : il y a l'universel conceptuel, qui est abstrait, et l'universel concret, qui est la forme de vie constituée par une communauté organisée selon des principes à portée universelle. La première forme d'universalité peut fonder une certaine communauté, mais seulement en ce sens que l'universalité conceptuelle exprime ce qui est valable pour tout esprit : elle est en somme un invariant par rapport aux variations individuelles. La seconde forme d'universalité, celle de l'universel concret, est tout autre chose : c'est l'idée d'une collectivité qui s'organise selon des principes, acceptés et reconnus comme légitimes, en tant qu'ils correspondent à des exigences de la raison. De même qu'il y a un savoir partagé, selon la raison, il y a des principes de vie pratique commune selon la raison. D'un côté, on a affaire à la dimension de la raison théorique, de l'autre à la dimension de la raison pratique.

Or dans cette perspective aussi la philosophie nous propose certaines figures remarquables. Au fond, d'ailleurs, toutes ces figures dérivent d'une même inspiration fondamentale, de la conception même de la philosophie comme pratique de l'esprit visant à réaliser l'instauration de la raison. La philosophie comme discours vise à instaurer une vision vraie, et par ce fait même elle vise aussi à instaurer une communauté d'esprits, en principe sans frontières, fondée dans la reconnaissance de l'essence, de ce qui appartient à l'être même de l'homme et à l'être même de la réalité en tant que telle. Mais en même temps, elle se présente comme inspiratrice d'une organisation collective concrète conforme à cette vision vraie. Elle propose l'idée d'une communauté politique qui serait la réalisation, dans l'ordre pratique, des principes en lesquels s'exprime la vérité de l'homme, d'une cité dont les lois incarneraient pour ainsi dire cette vérité. C'est l'idée d'un Etat bâti selon la raison. Cette idée de la philosophie comme savoir vrai fondateur d'un ordre politique authentique se trouve dans la grande philosophie grecque; plus près de nous, Hegel en a donné une formulation extrêmement radicale.

Mais il en existe une interprétation beaucoup plus sobre et plus limitée, qui paraît davantage capable de rendre compte de la réalité historique, c'est celle qui a été proposée par Kant. C'est d'ailleurs, semble-t-il, parce qu'il a réfléchi profondément au problème du mal et qu'il est convaincu de son insondabilité (du point de vue de la raison) que Kant a été amené à concevoir le rapport de la raison à l'histoire effective dans une perspective qui tient compte du statut effectif d'une raison en quelque sorte divisée contre elle-même. La philosophie, telle qu'il la conçoit, n'a pas le pouvoir par elle-même de susciter l'instauration d'une cité selon la raison ni même, plus modestement, d'y contribuer par ses recommandations. Mais elle a la mission de penser le statut de la raison, à la fois en son usage théorique et en son usage pratique. Et à ce titre elle rend explicite, dans la réflexion, les exigences qui habitent la raison pratique. Plus précisément, elle fait apparaître l'instauration d'une communauté éthique comme la tâche même de la raison pratique, comme son vœu immanent et en même temps son devoir. Cette tâche, qui est d'ordre pratique, est sans doute confiée aux êtres humains en tant qu'individus, car elle ne peut être réalisée que par la volonté libre, et la volonté libre n'existe que dans les individus; mais en elle-même, selon sa nature, elle concerne le genre humain tout entier, en tant que tel. Elle est de soi universelle, à la fois dans son but — la communauté à instaurer doit rassembler tous les hommes, en tant qu'ils sont tous porteurs de la raison pratique — et dans les conditions de son effectuation — elle est l'affaire du genre humain comme tel. Or cette idée d'une communauté éthique va permettre à Kant de retrouver philosophiquement l'idée d'Eglise, de donner ainsi une interprétation philosophique de la religion, plus précisément de la religion chrétienne.

Mais d'abord, en quoi consiste au juste cette communauté éthique? Kant compare communauté éthique et communauté juridique. Au point de départ, il y a un « état de nature », aussi bien dans l'ordre éthique que dans l'ordre juridique. Ce qui caractérise un tel état, c'est que chacun s'y donne à lui-même sa propre loi et se fait son propre juge; il n'y a pas d'autorité publique. On passe à un état de choses « juridico-civil » (ou « politique ») par l'établissement de lois. Un tel état « c'est le rapport des hommes entre eux en tant qu'ils sont régis en commun par des lois d'ordre public»([14]). Mais il s'agit là de lois de contrainte. Or de même que l'on instaure un état de choses juridique par de telles lois, on instaure un état de choses éthique par des lois purement morales qui, étant intérieures, ne sont pas contraignantes. «Un état de choses *éthico-civil* est un état où ils [les hommes] se trouvent réunis sous des lois non contraignantes, c'est-à-dire de simples *lois de vertus*»([15]). La réalisation d'un ordre juridique ne procure pas, par elle-même, la réalisation d'un ordre éthique. Une collectivité humaine organisée en Etat, donc soumise à un ordre juridique, peut très bien se trouver encore dans l'état de nature éthique, c'est-à-dire dans un état qui, du point de vue éthique, reste dominé par le mal et dans lequel les hommes «pervertissent les uns par les autres leur disposition morale»([16]). La tâche que s'assigne la raison pratique, et en laquelle elle reconnaît son devoir, tâche qui se présente d'emblée comme tâche universelle, est précisément de sortir de cet état de nature éthique. De même qu'il y a un devoir de sortir de l'état «d'injustice et de guerre de tous contre tous»([17]), que constitue l'état de nature juridique, ainsi il y a un devoir de sortir de cette «lutte mutuelle et *publique* contre les principes de la vertu»([18]) et de cette «condition d'immoralité intérieure»([19]) que constitue l'état de nature éthique. Il s'agit là d'un devoir «d'un caractère particulier, non des hommes envers les hommes, mais du genre humain envers lui-même»([20]). C'est un devoir différent de tous les autres, car il vise la réalisation du bien moral suprême, qui exige «l'union en une totalité en vue du même but, un système de gens bien intentionnés en lequel et grâce à l'unité duquel seulement ce bien peut être réalisé»([21]). Ce qu'il s'agit de réaliser, c'est «une république universelle fondée sur des lois de vertu»([22]).

Si l'on peut comparer l'ordre éthique à l'ordre juridique, c'est seulement au sens d'une analogie. S'il y a une certaine ressemblance formelle entre ces deux ordres (à travers l'idée de loi), il y a en même temps entre

---

(14)   *Ibid.*, p.129.
(15)   *Ibid.*, p.129.
(16)   *Ibid.*, p.131.
(17)   *Ibid.*, p.131.
(18)   *Ibid.*, p.131.
(19)   *Ibid.*, p.131.
(20)   *Ibid.*, p.132.
(21)   *Ibid.*, p.132.
(22)   *Ibid.*, p.132.

eux une profonde différence. L'ordre juridique ne repose que sur une contrainte extérieure. Dans une communauté juridico-politique, « c'est la multitude qui, en s'unissant en une totalité » (²³), se fait législatrice, parce que la législation qu'elle instaure « part du principe : de restreindre la liberté d'un chacun aux conditions qui lui permettent de coexister avec la liberté d'autrui suivant une loi générale » (²⁴). Dans l'ordre éthique, par contre, la loi est intérieure, car elle a « pour but l'avancement de la *moralité* des actes (qui, étant une chose tout *intérieure*, ne peut donc être régie par des lois publiques humaines) » (²⁵). Et ce n'est donc plus ici le peuple comme tel qui peut être législateur : une législation établie par le peuple ne peut être qu'extérieure, non intérieure. « Seul peut être conçu comme législateur suprême d'une communauté éthique celui par rapport à qui tous les *véritables devoirs* éthiques doivent être représentés comme étant en *même* temps ses commandements ; celui-là doit par suite connaître aussi les cœurs pour pénétrer même le fond le plus intime des intentions de chacun et pour faire obtenir à chacun, comme ce doit être dans toute communauté, ce que méritent ses œuvres. Or c'est là le concept de Dieu en tant que souverain moral de l'univers. Ainsi, on ne peut concevoir une communauté éthique que comme un peuple régi par des lois divines, c'est-à-dire comme un *peuple de Dieu*, obéissant à des *lois morales* » (²⁶).

Or « instituer un peuple moral de Dieu est une œuvre [...] dont l'exécution ne peut être attendue des homme [à cause des limitations qui tiennent aux conditions de la « nature humaine sensible »], mais seulement de Dieu lui-même » (²⁷). Ainsi « l'idée d'un peuple de Dieu (dans une organisation humaine) ne peut se réaliser que sous forme d'église » (²⁸). « Une cité éthique sous la législation morale de Dieu est une *Eglise* qui, en tant qu'elle n'est pas l'objet d'une expérience possible, se nomme l'*Eglise invisible* (simple idée de l'union de tous les honnêtes gens sous le gouvernement divin universel, immédiat et moral ainsi qu'elle sert d'archétype à

---

(23) *Ibid.*, p.133.
(24) *Ibid.*, p.133.
(25) *Ibid.*, p.133.
(26) *Ibid.*, p.p. 133-134.
(27) *Ibid.*, p.135.
(28) *Ibid.*, p.135.

toutes celles que les hommes se proposent d'instituer). L'Eglise *visible* est l'union effective des hommes en un ensemble qui s'accorde avec cet idéal » ([29]).

Ainsi donc, après avoir montré qu'une communauté éthique est une communauté fondée sur une pure contrainte intérieure, sur la reconnaissance, par chacun des membres, de la loi morale et de son exigence, saisie comme immanente à la volonté libre et raisonnable elle-même, Kant en conclut qu'une telle communauté ne peut avoir que Dieu lui-même comme législateur. Et cela lui permet de passer de l'idée encore abstraite de communauté éthique à l'idée d'Eglise et de découvrir, sous la forme de l'Eglise visible, la réalisation historique concrète de l'idée de communauté éthique. Ce qu'il nous propose ainsi, c'est donc une interprétation philosophique de la notion d'Eglise, à laquelle on pourra sans doute reprocher, du point de vue théologique, de ramener entièrement la signification proprement religieuse de la notion d'Eglise à la dimension éthique. Celle-ci n'est évidemment pas extérieure à la dimension religieuse; au contraire, elle est assumée en elle. Mais en tant que rapportée à un ordre théologal qui la transcende. L'interprétation kantienne est intéressante en tant qu'elle nous fait voir, dans la dimension éthique de l'existence, le *lieu d'insertion* , dans la structure de l'expérience humaine, de la dimension proprement religieuse. Mais dans la mesure où elle voit seulement dans l'Eglise la réalisation effective de la communauté éthique, elle est incapable, semble-t-il, de rendre compte de la signification proprement théologale de l'Eglise. Dans une telle interprétation, la religion reste en effet enfermée « dans les limites de la simple raison ».

Dans ces limites, l'idée d'universalité s'introduit de la façon la plus évidente. La communauté éthique n'a de sens que comme communauté universelle, puisqu'elle est fondée sur la loi morale, qui est de soi universelle, à la fois dans sa forme (qui est celle d'une maxime à portée universelle) et dans son contenu (qui est l'instauration du «règne des fins», d'un «monde moral», lequel ne peut être pensé, précisément, que sous les espèces d'une communauté universelle, d'un «*corpus mysticum* des êtres raisonnables»). L'Eglise, dès lors, qui est la projection historique de l'idée de la communauté éthique, est donc elle-même, selon son essence, universelle.

(29) *Ibid.*, p.136.

Les caractères de la véritable Eglise, qui « représente le règne (moral) de Dieu sur terre » ([30]), sont, selon Kant, l'universalité, la pureté (l'union qui lie les membres repose « sur des motifs exclusivement moraux » ([31])), la « subordination des *rapports* au principe de la *liberté*, aussi bien du rapport intérieur des membres entre eux que du rapport extérieur de l'Eglise avec le pouvoir politique » ([32]), et « l'*invariabilité* dans sa *constitution* » ([33]). L'universalité implique l'« unité numérique » de l'Eglise. Celle-ci « doit en renfermer en elle-même la disposition, c'est-à-dire que, bien que divisée il est vrai en opinions contingentes et désunie, elle est édifiée cependant par rapport à sa fin essentielle sur des principes tels qu'ils doivent forcément la conduire à une union universelle (donc pas de scission en sectes) » ([34]).

C'est donc, dans cette perspective, sous la forme de l'universalité concrète de l'Eglise que se réalise l'universalité du salut. Mais, comme on le voit, cette universalité étant pensée à partir de la structure essentielle de la conscience éthique, reste peut-être trop proche de l'universalité d'une forme. On voit bien que l'intention de Kant est de rejoindre l'effectivité de l'existence historique. C'est bien, selon lui, l'Eglise *visible*, donc historique, qui est le lieu de la réalisation de l'idéal éthique, donc du salut. Mais on peut se demander si les concepts mis en œuvre permettent effectivement de penser l'historicité du salut. Il y a, certes, d'une part, les structures de l'existence et les conditions formelles d'universalité qu'elles renferment. Mais il y a d'autre part l'histoire, l'événement, la contingence, et le poids de la particularité. On doit donc nécessairement se poser la question du statut d'historicité de l'existence et des formes concrètes de l'historicité. Cette question constitue un lieu de réflexion où philosophie et théologie sont appelées à se rejoindre.

Kant n'a certes pas ignoré cette question. On peut même penser qu'elle représente pour lui l'horizon ultime de sa réflexion. Il a sans doute tendance, comme on vient de l'indiquer, à minimiser la signification de l'événement, parce qu'il a cru pouvoir interpréter la réalité historique de l'Eglise dans le cadre d'une conception strictement rationnelle de la religion. Il

(30) *Ibid.*, p.136.
(31) *Ibid.*, p.137.
(32) *Ibid.*, p.137.
(33) *Ibid.*, p.137.
(34) *Ibid.*, p.136.

montre bien, cependant, quel est le sens du phénomène historique du christianisme. Dans une section de *La religion dans les limites de la simple raison* où il réfléchit sur les conditions historiques « de l'établissement progressif de la souveraineté du bon principe sur la terre » et où il tente donc de mettre ensemble l'universalité éthico-religieuse et l'historicité, il parle explicitement de l'histoire de l'Eglise et en particulier de l'époque actuelle. Et il nous dit que l'Eglise actuelle est le lieu où peut « se développer de plus en plus librement le germe de la vraie foi religieuse, comme il a été déposé seulement par quelques-uns, il est vrai, publiquement toutefois, aujourd'hui dans la chrétienté » ([35]). Et on peut attendre selon lui de cette chrétienté actuelle « un rapprochement continu vers l'Eglise qui doit pour toujours unir tous les hommes et qui constitue la représentation visible (le schéma) d'un royaume invisible de Dieu sur terre » ([36]).

Il semble donc, en définitive, que la philosophie arrive bien à montrer qu'il y a effectivement une exigence d'universalité qui est liée à l'idée du salut. Cependant, cette exigence d'universalité, qui se formule elle-même sous une forme universelle, et donc sous une forme qui est de soi a-historique, ne peut trouver sa réalisation que sous une forme historique. Ce que la philosophie nous montre, dans l'exemple tout à fait significatif de la réflexion kantienne, c'est que le salut, selon son essence, est de soi universel, au sens de la raison pratique, au sens où il doit consister en la réalisation d'une communauté universelle d'ordre éthique. Et selon l'interprétation rationnelle qu'elle tente d'en donner, le salut au sens religieux, étant la réalisation *effective* de l'*idée* du salut, doit être, par essence, universel. Or il ne peut en être ainsi que si l'idée du salut *et* son effectivité correspondent aux possibilités structurelles de l'existence humaine. La condition d'universalité est liée à la pensée de la structure. Mais pour penser adéquatement l'effectivité du salut, il faut rendre compte de l'historicité, non seulement dans sa simple possibilité mais dans sa contingence, il faut donc penser le statut de l'événement. Sans doute y a-t-il, dans l'idée et dans la réalité du salut, une signification universelle. C'est ce que Kant, à sa manière, a tenté de montrer à partir d'une réflexion sur la raison pratique. Mais, encore une fois, cette signification

---

(35) *Ibid.*, p.174.
(36) *Ibid.*, p.174.

universelle ne trouve sa réalité effective que dans un processus historique qui est d'ordre événementiel. La tâche d'une philosophie réfléchissant sur l'idée du salut serait donc peut-être, prolongeant ce que Kant a tenté, de montrer comment l'existence peut rencontrer l'événement, comment se trouve inscrite, dans la structure même de l'existence, la possibilité d'une telle rencontre. Elle serait aussi, en même temps, de montrer comment et pourquoi cette signification universelle que la raison a tenté de penser ne peut advenir que dans l'événement. Mais par là l'équilibre d'une réflexion de type kantien serait complètement déplacé. Au lieu d'essayer de rejoindre l'historique à partir de l'universel, il faudrait sans doute tenter de saisir l'universel à même la réalité de l'historique. Une philosophie qui irait dans ce sens serait peut-être plus consonante avec la théologie. Cette réflexion sur l'universalité du salut dans une perspective philosophique nous laisse en tout cas devant une question que l'on pourrait formuler, en style kantien, de la manière suivante : «Comment une pensée de l'événement est-elle possible ?».

Jesus ESPEJA

(Salamanque)

PERSPECTIVE CHRISTOLOGIQUE

I. PRÉSENTATION DU THÈME

Il est bon de rappeler la foi chrétienne et de connaître les critères qui conditionnent ses possibilités d'audience dans la société d'aujourd'hui.

Nous devons toutefois déterminer également les objectifs que nous nous fixons et encourager la préoccupation pastorale, qui est fondamentale.

1. La prétention à une validité universelle du salut semble être un postulat de toutes les religions. Mais l'universalité du christianisme trouve sa légitimité dans un article singulier : Jésus de Nazareth est la manifestation définitive de Dieu en faveur des hommes : le lieu et le nom unique d'un salut qui ne peut être dépassé, exclusif et à valeur universelle (*Act* 4, 12 ; *Rom* 10, 9-13). Affirmer que Jésus Christ a une signification universelle, cela revient à dire qu'il intéresse tous les hommes dans la détermination du sens dernier de leur existence. Dans toutes ses expressions individuelles, Jésus de Nazareth détient un pouvoir unique de salut pour tous. Là est l'originalité de l'expérience chrétienne.

2. Cette universalité et cette pérennité sont aujourd'hui remises en question pour trois raisons. Dans un monde pluraliste de par ses cultures, ses conceptions de vie et ses libertés, les positions dogmatiques n'ont plus cours et la prétention à une universalité salvifique apparaît comme dérisoire.

D'autre part, étant donné la réversibilité de tout ce qui est historique ou événementiel, comment un événement singulier pourrait-il être considéré comme absolu? Dans cette société dénaturée par le changement braqué sur le futur, comment peut-on «a priori» détecter le définitif?

Si nous plaçons dans le passé le point culminant du salut, le cours progressif de l'Histoire n'en sera-t-il pas bloqué?

Il existe une troisième objection. Fréquemment, l'universalité et l'unicité du Christ ont trouvé une traduction pratique dans l'axiome «hors de l'Eglise, point de salut» (extra Ecclesiam nulla salus). Les applications n'en furent pas exemptes d'intolérance, ni de sectarisme ou d'un prosélytisme anti-évangélique.

3. Fixons — afin de ne pas nous disperser — l'objectif de notre réflexion et précisons le souci pastoral qui la motive.

L'universalité et l'unicité du Christ sont au centre de la foi chrétienne. Elles ne sont pas directement démontrables. Pourtant si ce sont là choses qui nous intéressent tous, elles doivent être en quelque manière historiquement vérifiables. Non pas de façon directe, ainsi que le démontreraient les sciences naturelles mais plutôt indirectement en observant le sens déterminant de la foi chrétienne pour l'expérience humaine, sur les plans personnel et socio-politique.

Il ne s'agit pas d'apologétique au sens de la Contre-Réforme, mais de donner une présentation crédible et raisonnable de la foi, de rendre compte de notre espérance chrétienne (*1 Pe* 3, 15). Un tâche qui est assignée à ce que l'on appelle la théologie fondamentale et, en l'occurence, christologie fondamentale[1].

La proclamation théorique de ce que tous les hommes sont déjà sauvés en Jésus Christ est insuffisante. Il s'avère aussi nécessaire d'en désigner les conséquences vérifiables dans l'histoire concrète car il s'agit du salut de quelqu'un par rapport à quelque chose.

Voici donc tracées les lignes générales de notre étude.

Nous présenterons tout d'abord quelques essais théologiques parmi les plus récents pour proposer ensuite une voie d'interprétation actuelle. Et, comme le christianisme est le lieu où se vérifie l'universalité salvifique du Christ, nous déduirons en troisième lieu les «exigences éthiques» qui en découlent pour les Eglises.

---

(1)   On peut trouver un fort bon exposé de la théologique fondamentale chez J.B. Metz, *La fe en la historia y en la sociedad* (Madrid 1979) 28-40.

J'avoue que ma préoccupation pastorale, qui est à la fois le point de départ et le motif de cette réflexion, va à cette présence nouvelle que l'Eglise cherche laborieusement au sein de la société espagnole.

Le pluralisme naissant exige des changements qualitatifs. L'Eglise ne pourra obtenir par de seules paroles, la crédibilité recherchée. Le seul chemin efficace sera celui d'une orthopraxie évangélique.

II. DE LA LECTURE DES EXPLICATIONS THÉOLOGIQUES RÉCENTES

L'universalité et l'unicité du Christ constituent un thème central en théologie. Le changement culturel que nous vivons, confère à celles-ci une actualité particulière, comme cela a pu être le cas à l'époque des premières systématisations christologiques de Justin et d'Irénée. Je ne tente pas de dresser un catalogue ni de faire une analyse approfondie mais bien de souligner la préoccupation commune pour une articulation de la foi chrétienne et des visions anthropologiques les plus actuelles.

1. Notes préliminaires

Limitons-nous à la théologie européenne. Les diverses explications relatives à l'universalité salvifique du Christ acceptent en général le défi du siècle des Lumières. Elles suggèrent des pistes valables pour une proposition d'expérience chrétienne à notre époque, même si les unes mettent l'accent sur la dimension rédemptrice et si les autres soulignent la nuance révélatrice du salut.

Précisons quelque peu.

a) On accepte les défis du siècle des Lumières, mais l'on met en question ses énoncés. A l'opposé du subjectivisme rationaliste et de la conception autoritaire de la foi que proposent, chacun à leur manière, Barth et Bultmann, W. Pannenberg, sensible aux demandes des «Lumières» a réagi en cherchant la vérification historique de la foi chrétienne; sans cette vérification, la foi serait facilement réduite à une «ingénuité aveugle» et même à une superstition. Dans la troisième de ses «thèses dogmatiques sur la doctrine de la révélation», Pannenberg écrit: «à la différence des apparitions particulières de la divinité, la révélation historique est ouverte à tout qui a des yeux pour voir, elle a un caractère universel» (²). C'est pourquoi il tente d'élaborer une théorie de la révélation qui soit démontrable avec certitude pour la raison historique critique (³).

Dans le camp catholique, Hans Urs von Balthasar tient le raisonnement suivant : «si Dieu s'est fait homme, les chrétiens doivent aussi pouvoir prendre, face à l'incrédulité, l'aspect de ce qui est simplement humain» (⁴).

On essaie de répondre aux justes demandes des «Lumières», mais on met en question le dogmatisme et la version pratique de celles-ci. J.B. Metz affirme, faisant référence aux tâches de la «théologie fondamentale» : «une illustration radicale des «Lumières» s'impose» (⁵). Quant à E. Schillebeeckx, il se penche sur l'universalité salvifique du Christ et en met en cause les présupposés : tenir pour établi que toutes les affirmations historiques soient toujours ouvertes et, partant, que la signification universelle de Jésus soit un énoncé pré-critique «n'y a-t-il pas là contradiction avec le pluralisme essentiel de l'histoire humaine?»; la raison humaine peut-elle poser une limite à l'éventail des possibilités d'entendement? Il est vrai que tout jugement historique renferme la possibilité logique et théorique de l'erreur, mais cette possibilité n'implique pas nécessairement l'erreur effective (⁶).

b) Dès lors qu'il s'agit d'interpréter, sur le plan théologique, l'universalité salvifique du Christ, les uns insistent sur la rédemption, les autres mettent davantage l'accent sur la révélation. La christologie de Schillebeeckx peut être illustrative de la première perspective, Pannenberg étant représentatif de la seconde (⁷). Mais il apparaît dès à présent que les deux visions sont valables et englobent la même réalité.

Les mystères du Christ — «acta et passa in carne» — non seulement rachètent mais révèlent aussi. Les deux modalités se retrouvent et

---

(2) *La revelación como historia* (Salamanca 1977) 127.

(3) Cfr A. Torres Queiruga, *La teoria de la revelación en W. Pannenberg*: «Est. Ecles.» 59 (1984) 139-178.

(4) *Caracteres de los cristiano*: Ensayos teologicos I (Madrid 1964) 209.

(5) *La fe en la historia...*, 50.

(6) *Jesús, historia de un viviente* (Madrid 1981) 554.

(7) *La revelación...*: voir aussi *Fundamentos de Cristologia* (Salamanca 1964) 86-87. Dans la même perspective I. De La Potterie, «Cristo figura de la revelación según San Juan»: in *La verdad de Jesús* (Madrid 1979) 229-320. J. Alfaro, *Cristologia y antropologia* (Madrid 1977) 157-163; A. Torres Queiruga, *Universalidad y definitividad de la revelación cristiana*: «Iglesia Viva» 14 (1979) 305-318.

s'impliquent mutuellement dans les mêmes événements. La rédemption communique, informe sur le comment de Dieu et des voies de Sa Providence; la révélation, une fois accueillie, transforme et promeut l'homme, car la parole de Dieu est vivante et efficace[8].

Le Christ, révélateur du Père, se définit comme Verbe, Parole qui, en personne, révèle et transmet la vie[9]. La connaissance de Dieu n'est pas pure « gnose » ni froide intellectualisation; en se faisant connaître en Jésus, Dieu libère ou rachète et manifeste son visage de par son activité historique libératrice. Jean l'Evangéliste dit que la vraie connaissance de Dieu fructifie et se vérifie dans l'amour (*1 Jn* 1, 3; 4, 7).

C'est significativement que Saint Thomas assigne à la charité le don de la sagesse parce que la révélation est moins information neutre quant aux choses divines que manifestation « extatique » du fondement de l'être, que ce soit dans les événements, les personnes ou les choses. C'est là une contemplation intellectuelle et affective; source de connaissance et de libération ou rédemption[10].

c) L'on distingue aisément deux interrogations à la lecture des théologiens européens. Celle du fondement de l'universalité du salut en Jésus de Nazareth et celle de l'interprétation ou de l'articulation de celle-ci avec l'expérience humaine.

2. Le fondement de l'universalité

« Pourquoi Jésus Christ est-il nom de salut unique et définitif? » Il n'est qu'une seule réponse à cette question: parce qu'il est le Fils. Universalité et divinité se conditionnent mutuellement. Déjà Ignace d'Antioche et Irénée de Lyon proclamaient la divinité de Jésus parce qu'ils l'avaient ressenti comme Sauveur de tous les hommes[11]. Thomas d'Aquin fonde la singularité du Christ, qui en fait le premier-né de tous les hommes et de toute la création, dans la dignité de sa personne[12].

---

(8) *Heb* 4, 12; *1 Pe* 1,23; Vat. II, Const DV 2, 4, 14.

(9) DV 17, 26.

(10) II-II, 45, 2. Ce texte de Saint Thomas est fort célèbre. « Tout croyant se rallie à la parole de quelqu'un; de telle façon que ce qui est principal et détient une valeur définitive dans tout acte de foi est la personne à la parole de laquelle nous nous rallions; les détails des vérités affirmées dans cette volonté de nous unir à quelqu'un ne revêtent qu'un caractère secondaire » (II-II, 11, 1).

(11) Ignacio, *Trall*, 10; Ireneo, *Adv. haer.* III, 18, 7.

(12) III, 4, 5; 8, 4-6.

Les théologiens actuels justifient également l'universalité salvifique du Christ par cette dignité divine. Dans l'événement de Jésus, dit von Balthasar, «Dieu s'ouvrit au monde, fondant dans ce mouvement descendant le sens de toute ascension vers Lui».

«Si le Christ n'était que le cas suprême de l'homme naturel, si le christianisme n'était que l'expression la plus sublime de la religion humaine, il ne vaudrait pas la peine d'être chrétien aujourd'hui»[13]. Schillebeeckx veut, quant à lui, justifier l'universalité et la fiabilité historique du salut dans le Christ: «Si Jésus est vraiment homme, alors même que la foi chrétienne affirme qu'il est la révélation personnelle du Père, du Dieu vivant, alors nous devrons réellement accepter les conséquences de la présence salvifique de Dieu dans les dimensions et les limites étroites de l'humanité de Jésus»[14].

Déjà en termes de révélation, Jésus de Nazareth en est le centre pour être Parole décisive, autocommunication totale de Dieu[15]. Dans cette perspective, l'intuition de Justin — une fois purifiée d'une excessive influence platonicienne — apparaît comme fort valable: Le Christ est le «Logos», la plénitude de sens qui donne consistance et vérité à tous les sens partiels de l'histoire[16]. S'appuyant sur cette vérité, Pannenberg conclut logiquement: «l'annonce du Christ doit apporter à ceux qui l'écoutent la vérité indubitable du fait que Dieu s'est révélé dans le destin de Jésus de Nazareth en tant que salut de tous les hommes...; la connaissance de la révélation de Dieu, dans l'histoire qui révèle sa divinité, doit être le fondement de la foi»[17].

Seule la qualité divine du Christ peut garantir le salut à tous les hommes de tous les temps. La société ne renseigne pas sur toutes les lacunes dont souffre la personne humaine, qui n'est pas la simple résultante du processus social. L'aliénation que nous expérimentons chaque jour ne peut être totalement surmontée par notre seul effort personnel ni par les réformes sociales. Il y a des souffrances humaines pour lesquelles il n'est pas de solution en ce bas-monde.

---

(13) *Caracteres de lo cristiano*, 211.
(14) *Jesús, historia...*, 567.
(15) I. De La Potterie, *La verdad de Cristo*, 229-320; Q. Andreo, *Alegato en favor de una cristologia como teologia del Logos único*: en *Jesucristo en la historia y en la fe* (Salamanca 1977) 280-290.
(16) *I Apol.* 46,2; *II Apol.* 10, 1; 13, 3.
(17) *La revelación...*, 130.

La nature, bien qu'elle se laisse manipuler par bien des côtés, demeure étrange et cachée à l'homme, au mortel qui expérimente ses irrémédiables limites. La liberté libérée ou le salut sans ombres reste au-delà de la personne humaine et de la société. Ils ne trouvent leur source qu'en Dieu et c'est la condition divine de Jésus qui garantit son pouvoir salvateur unique.

3. Quelques clés d'interprétation

Parmi les optiques christologiques européennes récentes, signalons trois points de départ qui permettent l'articulation de la foi chrétienne avec l'expérience de l'homme contemporain.

a) L'auto-transcendance de l'homme

Appelé à être plus qu'il n'est, l'homme porte en lui une tension, une différence, comme une aspiration à l'infinitude.

Jésus Christ, rencontre de la divinité et de l'humanité historique, dépassa cette différence anthropologique, étant déjà l'homme parfait, pleinement réalisé.

L'intuition développée au IIe siècle par Irénée de Lyon a trouvé divers échos dans la christologie européenne de ces dernières années[18]. Selon l'interprétation de Urs von Balthasar, l'homme endure une tension. Il se voit perpétuellement projeté vers une fin ultime et n'actualise jamais son essence totale. Il y a décalage réel, inhérent à son être même. Mais, chez le Christ, cette distance est déjà dépassée[19]. La doctrine de K. Rahner sur l'incarnation voit en Jésus de Nazareth celui auquel Dieu concéda de s'ouvrir totalement à l'Absolu, de telle manière qu'il puisse s'identifier à Lui[20].

Cette christolotigie que nous pourrions appeler «transcendantale» comporte deux dangers: celui de situer la transcendance humaine de Jésus au sein des seules dimensions de son humanité. Schillebeeckx, qui admet

---

(18)   *Adv. haer.* IV, 11, 1; V, 1, 1.

(19)   *Caracteres de lo cristiano*, 212.

(20)   *Para la teologia de la Enacarnación: Escritos de Teologia, IV (Madrid 1961) 139-155; Rahner parle de l'essence humaine «dotée d'un transcendentalisme illimité en tant que consommation qui va au-delà de la structure essentielle»: Curso fundamental de la fe, introducción al concento de cristianismo (Barcelona 1979) 161. Auparavant il avait déjà écrit: «L'homme est l'être du desiderium naturale in visionem beatificam» (Cristologia, estudio exegetico-teológico) (Madrid 1975).*

que si Jésus est le Fils, il doit se manifester par sa manière absolument unique d'être homme, dénonce cette tentation. Lorsque l'on parle de l'humanité transcendante de Jésus, s'agit-il d'une transcendance relative ou absolue? Graduelle ou distincte par essence de la transcendance inhérente à tous les hommes?

Si, par ailleurs, l'humanité de Jésus entre également dans le credo chrétien, notre concept d'humanité sert-il de mesure pour parler de Jésus ou est-ce plutôt cette humanité qui trace le modèle qui permette une connaissance de l'homme? [21].

Jésus Christ n'est pas le sommet fortuit d'un processus, mais «la révélation définitive de Dieu» [22]. En d'autres termes: «vu que Jésus dans son obéissance n'est rien de lui-même et tout de Dieu, l'auto-communication de Dieu se constitue en son être» [23].

La transcendance humaine et unique de Jésus suppose, a pour source et manifeste sa divinité. C'est dans ce cadre que la christologie «transcendantale» ouvre une voie adéquate vers le dialogue pour l'homme moderne, toujours à la recherche de nouveaux buts. Saint Thomas ne parle-t-il pas déjà de la «puissance obédientielle» dont témoigne la nature humaine afin d'être assumée par le Verbe? [24].

C'est la même idée qui est exprimée lorsque l'on parle du Christ comme plénitude et centre de révélation, comme l'a souligné naguère O. Cullmann dans son «historia salutis». Une idée que la christologie européenne actuelle interprète déjà dans toute son amplitude cosmique.

Schillebeeckx fait état d'une «révélation anonyme», extérieure au judéo-christianisme, d'un certain «auditus exterior» constitué par l'expression de la création entière, de la vie profane et, particulièrement, de la rencontre inter-humaine [25].

Grâce aux «semina Verbi» qui croissent et se multiplient, l'histoire de l'humanité s'ouvre à une révélation définitive.

(21) *Jesús, historia...*, 566-567. Selon Vat II, «le Verbe Incarné fait pleinement connaître l'homme aux yeux de l'homme et dévoile la sublimité de sa vocation» (GS 22).

(22) E. Schillebeeckx, *Jesús, historia...*, 563.

(23) W. Kasper, *Unidad y universalidad de Jesucristo*: in *Jesucristo en la historia y en la fe*, 269.

(24) III, 4, 1. K. Rahner reconnaît en l'homme «la possibilité d'une acceptation personnelle de Dieu» (*Curso fundamental de la fe*, 261).

(25) *Revelación y teologia* (Salamanca 1969) 135.

Jésus de Nazareth est le lieu où toutes les manifestations de la vérité dans l'histoire restent assumées et prennent consistance.

Jésus Christ, révélateur du Père ne détruit pas : il promeut l'humain en l'affirmant jusqu'à son plus haut niveau [26].

b) L'«universale concretum»

La tension entre singularité et universalité est bel et bien inhérente à la condition humaine. Dès lors qu'il s'agit de chercher un sens à la vie, nous risquons de succomber tantôt à un individualisme faisant fi de toute solidarité, tantôt au mirage d'une universalité qui fait abstraction de l'individu réel. Rien d'universel qui ne puisse être individuel et rien d'individuel qui ne puisse être universel. C'est en ce sens que l'on comprend la difficulté que pose le siècle des Lumières face à l'universalité salvifique du Christ.

Mais, selon la foi ou l'expérience chrétienne, Dieu s'introduit Lui-même dans l'incarnation du Verbe. Il se manifeste comme Parole éternelle dans la caducité de la chair, nécessaire dans la contingence de l'histoire, «l'universale concretum» et le «concretum universale» [27].

Cette interprétation trouve une base solide dans la doctrine théologique traditionnelle. L'enseignement d'Irénée, fidèle à la foi apostolique, est fort éloquent lorsqu'il évoque la récapitulation de toutes choses dans le Christ [28]. L'idée d'une inclusion de tous les hommes dans l'humanité du Verbe, reprise aux pères grecs et remarquablement exposée par Saint Thomas, ne l'est pas moins [29]. C'est en conformité à cette tradition que Vat. II affirme : «le Fils de Dieu, dans son incarnation, s'est d'une certaine manière uni avec tout homme» [30].

Le Christ, comme lieu où l'universel et l'individuel se rencontrent, peut représenter un projet adéquat pour les hommes de notre société où l'individu se voit noyé dans un anonymat général et privé de toute

---

(26) La révélation est «le processus maïeutique par lequel l'Esprit donne sa puissance à l'expérience humaine afin que surgisse en pleine lumière l'articulation humaine de son être à partir du Dieu sauveur» (A. Torre Queiruga, *Universalidad...*, 314.

(27) U. von Balthasar, *Caracteres de lo cristiano*, 221 ; W. Kasper, *Carácter absoluto del cristianismo* : en *Sacramentum mundi* 2 (Barcelone 1972) col. 54: Unidad y universalidad..., 267-268.

(28) *Adv. Haer.* III, 21, 1 ; IV, 38, 1.

(29) III, 1, 1 ; 4.

(30) Const GS 22.

valorisation. Une société où les individus se montrent chaque jour davantage rebelles aux valeurs de la solidarité.

Solidarité et droits de l'homme s'impliquent mutuellement cependant. Cette double et paradoxale exigence correspond au désir le plus profond de notre société.

c) L'affirmation de la liberté humaine

La liberté humaine doit également être soulignée à l'heure où il s'agit de rendre crédible l'universalité salvifique de Jésus. Hegel, dans sa vision particulière, affirmait déjà que le christianisme est la religion absolue parce qu'il est «la religion de la liberté»[31].

En donnant tout son relief à l'humanité du Christ, la théologie donne une grande importance et offre de nouveaux développements à la liberté et à la confiance en Jésus.

Nous disposons là sans aucun doute d'une autre piste pertinente pour proposer et nouer notre expérience chrétienne à l'expérience humaine. L'homme d'aujourd'hui se montre de plus en plus soucieux de liberté et, partout dans le monde, jaillissent les appels à la libération. Dans ce climat, Jésus-homme totalement libre et libéré — peut être un point de référence.

Ici également deux remarques sont nécessaires. Jésus est homme libre car Dieu Lui-même se donne en Lui. C'est ce qui a été énoncé lors du VIe Concile œcuménique, en l'an 681, lorsque furent proclamées deux volontés en Jésus Christ[32].

Une seconde observation concerne les limites de notre conception de la liberté. Ce n'est pas celle-ci qui peut constituer la référence. C'est seulement à partir de Jésus que nous saurons en quoi consiste la liberté humaine.

---

(31) Cfr W. Kern, *La universalidad del cristianismo en la filosofia de Hegel*: in «Concilium» 135 (1980) 220-225, et tout spécialement 221.
(32) Dz 556.

III. VERS UNE ARTICULATION POSSIBLE
A L'HEURE ACTUELLE

Je ne prétends pas élaborer une interprétation totalement nouvelle. Je me limiterai à suggérer certains points qui me paraissent fondamentaux pour la crédibilité de la confession chrétienne dans l'universalité salvifique de Jésus.

Tout d'abord quelques points de départ ou présupposés. Je traiterai ensuite de l'expérience humaine, devenue plus universelle. Enfin, j'énoncerai les vérités christologiques devant être soulignées.

1. Présupposés

a) Le salut n'est pas abstrait. Il signifie la libération par rapport à des situations aliénantes relevant de la dynamique historique. Si nous voulons présenter le Christ comme sauveur universel, nous devrons partir de ces aliénations, de ces manques et de ces contradictions au sein desquels les hommes réclament leur salut.

Le terrain auquel je me réfère ici est la société espagnole qui vit des désirs de liberté, d'égalité et de coresponsabilité mais souffre en même temps de l'oppression, de l'inégalité humaine et de la manipulation aliénante. Conséquence et reflet de ce qui ronge la société mondiale, les Espagnols — opprimés ou déprimés, marginaux ou manipulés — témoignent de ces cancers fondamentaux qui déshumanisent la société mondiale : l'égoïsme, la corruption de la loi qui engendre douleurs et souffrances.

b) Les intuitions des théologiens auxquels nous avons fait référence, les pistes qu'ils indiquent gardent leur valeur. Toutes convergent en une idée centrale : l'histoire est tel un processus de rédemption (libération) et de révélation. Le monde a une densité théologique et dans les événements de chaque époque germent des anticipations de rédemption et de révélation qui atteignent leur plénitude en Jésus Christ.

Deux auteurs contribuent à la concrétisation de cette idée : P. Tillich et E. Schillebeeckx. Ceux-ci, bien qu'ils divergent par ailleurs, suggèrent des voies adéquates pour l'interprétation ou l'articulation de la foi chrétienne avec l'expérience de l'homme d'aujourd'hui.

P. Tillich parle de Jésus comme Christ porteur d'un nouvel être pour l'humanité. Jésus a fait siennes les aliénations de l'existence humaine. Par la résurrection, il a proclamé la victoire remportée sur celles-ci[33].

Le discours de E. Schillebeeckx mérite une attention particulière. L'histoire n'est que potentiellement une : elle abrite en son sein, comme juxtaposées, joie et douleur, progrès et échecs. Les utopies du passé qui rêvent encore et toujours d'«âge d'or», les futuristes qui ne se réfèrent au passé qu'en tant que vallée de larmes nourrissent des visions partielles et idéologiques. Des impératifs de libération ont surgi ici et là tout au long de l'histoire. Ils ont donné lieu à des réalisations — partielles — de cette libération qui répondaient aux clameurs multiples d'une souffrance qui apparaît comme un signe permanent de tous les temps. Ni la contemplation hégélienne, universaliste et abstraite, ni le progrès technique qui utilise l'homme à défaut de le respecter ne répondent à ce terrible problème de la souffrance. Jésus de Nazareth nous offre une perspective signifiante à ce problème[34].

c) Les théologiens européens acceptent en général le défi du siècle des Lumières. Mais l'universalité doit être concrétisée et vérifiée dans une pratique.

Il ne suffit pas de proposer un idéal universel d'humanité faisant abstraction de la médiation historique. Le marxisme met en cause cette universalité abstraite : la fraternité universelle n'est accessible qu'à partir d'une fraternité limitée de parti dont la pratique aboutirait à un monde sans classes sociales.

Le néo-rationalisme pose un nouveau défi à la réflexion théologique. L'ainsi nommée théologie de la libération a ici une haute signification. Son point de départ est la réalité douloureuse du tiers-monde, majorité de pauvres, marginaux et exploités.

Sa préoccupation est de voir comment la pratique chrétienne de l'Eglise peut être un moyen d'accès à la fraternité universelle. Admettons ses dangers et ses limitations mais cette préoccupation est fondamentale dans la révélation chrétienne.

La face du vrai Dieu et son pouvoir salvifique universel se sont manifestés dans la pratique historique de Jésus. Bien que, dans l'Evangile, le terme «frère» désigne par antonomase le prochain, le nécessiteux, chez

---

(33)   P. Tillich, *Teologia Sistemática II. La existencia y christo* (Salamanca 1981) 199-217.
(34)   *Jesús, historia...*, 577-588.

les Synoptiques déjà — et surtout chez Paul et Jean — les « frères » sont les membres de la petite communauté chrétienne. Celle-ci devient la médiation de la fraternité universelle.

2. La souffrance comme clé herméneutique

La souffrance et la finitude de l'homme, devant lesquelles nous sommes aujourd'hui particulièrement sensibles, font partie de l'expérience universelle de tous les temps. L'histoire de la souffrance et de l'injustice, dans ce qu'elles ont de plus irrationnel et inexplicable, met en question le sens de la vie humaine. Seul un projet apportant une solution à cet épiphénomène persistant et tragique de notre histoire peut avoir des prétentions d'universalité.

L'expérience commune de finitude et de douleur revêt des manifestations différentes selon les époques et les cultures. Mais aujourd'hui, devant tant de pauvres marginaux dans le tiers-monde, elle devient criante. Ceux-ci sont les témoins douloureux de l'inachèvement de l'humanité.

La connaissance, l'expérience de la douleur dans toute sa profondeur ne trouve pas d'explication dans un savoir philosophico-esthétique faisant abstraction de celle-ci ou dénué d'attention pour la chose humaine, ni dans le savoir technique qui se désintéresse de la priorité éthique de ceux qui souffrent.

L'expérience de la souffrance qui mûrit en « compassion » exige que la contemplation n'éloigne pas l'homme de la réalité mais plutôt qu'il engage ce dernier dans une transformation de celle-ci. Elle postule aussi un savoir technique qui vise au développement intégral de l'homme.

Douleur et souffrance, en tant que maux universels, résistent à toute compréhension, échappent à toute théorie. Seule une pratique de rédemption ou de libération offre une réponse adéquate. C'est ici qu'intervient la proposition d'universalité salvifique dans le Christ et sa vérification dans l'histoire elle-même.

3. Retrouver l'histoire de Jésus

L'universalité salvifique du Christ s'appuie sur sa divinité. C'est toutefois dans l'histoire concrète de Jésus qu'elle trouve son fondement et son point de départ, lesquels sont incontrôlables en dehors de son message.

Celui que l'on appelle Christ est Jésus de Nazareth et, comme Jésus lui-même s'identifie avec la réalisation de ce message (Mt 12,28) c'est dans l'universalité de celui-ci que sera perceptible l'universalité salvifique du Christ[35].

Quoique s'approcher de l'intimité de cet homme s'avère une tâche délicate, il semble que l'on puisse tracer trois lignes de force de son expérience fondamentale :

— son engagement envers ce qu'il a nommé « Royaume de Dieu », catégorie que Jésus n'a jamais définie mais qui, symboliquement et de façon générique, suggère un monde nouveau fait de fraternité, de justice et de liberté dans la gratuité de Dieu ;

— sa préférence pour les faibles, les pauvres ou les marginaux de la terre ;

— sa perception de Dieu, Père, amour gratuitement dispensé à tous les hommes dont la cause est faite sienne.

Jésus a manifesté son expérience dans une pratique de vie qui ne fut en aucun moment orientée vers sa personne, son prestige ou sa sécurité. Seul le « Royaume de Dieu » fut au centre de ses efforts.

Il n'a pas parlé non plus de façon abstraite des pauvres, il s'est laissé toucher par la souffrance et l'humiliation des marginaux, partageant avec eux tout ce qu'il avait dans toute la mesure du possible. Ses repas avec les pauvres sont la manifestation d'une pratique éloquente. Il a aussi vécu en intime communion avec le Père, dans une obéissance et une confiance sans limites : dans ce dialogue, l'homme est perçu comme richesse et « cause » de Dieu.

Sans prononcer de grands discours sur les droits de l'homme, Jésus a réalisé une pratique de libération, luttant victorieusement contre les forces du mal qui aliènent et sèment la discorde.

Au travers de cette pratique, Jésus a révélé le visage et les sentiments du vrai Dieu. Le quatrième évangéliste présente judicieusement Jésus Christ comme la Parole de Dieu « dans la chair » (*Jn* 1, 1-14). Correctif salutaire pour qui ne veut altérer la foi chrétienne en la divinité de Jésus.

---

(35)   Ch. Duquoc, *El cristianismo y la pretensión de universalidad* : « Concilium » 155 (1980) 236-247. Cette universalité se réalise dans la concrétisation : W. Kasper, *Carácter absoluto del cristianismo*, col. 54. Dans sa particularité, Jésus atteint une signification universelle : O. Gonzalez, *Actualización de la revelación divina* : « Iglesia Viva » 14 (1979) 331. Selon le « credo » chrétien, le Verbe de Dieu assume, de manière absolue et définitive, une nature humaine concrète en respectant et promouvant sa particularité humaine (Dz 302 et 556).

Nous sommes déjà à même d'entrevoir et de suggérer une voie d'articulation entre la foi dans l'universalité salvifique de Jésus et l'expérience des hommes d'aujourd'hui : désir de fraternité, exigence de dépassement des aliénations, recherche d'amour gratuit qui nous sauve de l'égoïsme déshumanisant.

Ne sont-ce pas là les marques de notre temps ? Ne peut-on voir là un horizon accessible au projet de l'universalité du salut dans le Christ ?

IV. VÉRIFICATION DANS L'ÉGLISE

Au fil de l'histoire, le christianisme, traduisant en actes l'esprit de Jésus, rend cette universalité évidente, parlante.

Explicitons cette thèse.

1. L'Eglise, signe de salut universel

L'enseignement de Vatican II fait écho à l'expression paulinienne : l'Eglise est le « Corps du Christ »[36]. Corps spirituel et corps historique. Lieu où prend corps l'esprit de Jésus et où l'histoire s'incarne visiblement dans le Christ.

L'Eglise est la mémoire de Jésus grâce à l'Esprit, cette force de Dieu qui rappelle et rend présente la vie du Maître au sein de la communauté chrétienne (*Jn.* 14, 17, 21). Ce même Esprit, qui planait déjà sur les eaux de la création, gémit au sein de celle-ci et d'une histoire qui aspirent à la libération. Tous les mouvements qui recherchent cette liberté apparaissent comme les anticipations d'une plénitude déjà réalisée dans le Christ et proclamée dans l'Eglise. Lorsque celle-ci sera vraiment chrétienne, elle écoutera et accueillera tous ces appels de l'Esprit qui retentissent de par le monde.

D'où la catholicité de l'Eglise : cette propriété qui lui permet à la fois d'être unique et de s'intégrer à chaque culture. Grâce à l'Esprit, l'expérience chrétienne peut — quoique unique — revêtir les caractères et

---

(36) L'Eglise est « instrument de rédemption pour tous » (LG 9,33). Selon Paul, l'Eglise est « Corps du Christ », sacrement, manifestation historique et visible du Christ glorifié dont le centre est la célébration eucharistique (1 Cor 10, 16-17).

(37) LG 14.

le dynamisme propres à chaque peuple. Par là, elle apporte la vérification de son universalité.

En tant que Corps du Christ, l'Eglise doit progresser en accord avec la Tête. Les affirmations de Vatican II sont de première importance pour l'identification de la communauté chrétienne: ceux-là qui «possèdent l'Esprit du Christ» font partie intégrante de cette société. L'on comprend que les trois traits majeurs de l'expérience vécue par Jésus, de son esprit, doivent en constituer la norme. Ils sont le sceau de garantie évangélique de l'Eglise.

a) «Seul le Royaume est absolu»

Cette thèse de l'exhortation «Evangelii Nuntiandi», n° 14, découle de principes christologiques corrects. Jésus de Nazareth n'a pas prêché pour lui-même ni n'a cherché à maintenir ou à obtenir des positions avantageuses ou prestigieuses dans la société. Tout chez lui est fonction du «Royaume», de la communauté fraternelle d'hommes libres. C'est également la voie que doit suivre l'Eglise.

Si l'Esprit souffle aussi en dehors des murs de l'Eglise, s'il anime la marche de l'histoire et se manifeste dans toutes les tentatives qui visent honnêtement à la justice, l'espérance théologale des chrétiens devra se lier aux espérances humaines. Celles-ci apparaissent comme un indice et un pressentiment de ce salut que nous, croyants, proclamons déjà pleinement et définitivement réalisé dans le Christ [38].

Jésus annonce l'arrivée du Royaume comme la bonne nouvelle. Offre gratuite faite aux hommes, le Royaume n'est pas imposé par Dieu. Le langage même du Christ, symbolique et tout en paraboles, suggère que c'est de l'homme libre qu'est attendue l'ultime décision. La même ligne de conduite vaut pour l'Eglise dans une société pluraliste. La foi devient œuvre de Dieu chez l'homme qui ressent l'attrait du Père et qui se livre volontairement, en toute liberté. Ceci a été mis en relief par Vatican II dans la Déclaration sur la liberté religieuse [39].

Cet appel du Concile peut paraître étrange. Il revêt pourtant un caractère d'urgence particulier dans des sociétés ou des situations semblables à celles qu'a connues la chrétienté espagnole.

---

(38)   Vat. II, GS 26, 42-43.
(39)   Ns. 11 y 12. Cfr G. Thils, *Universalisme chrétien, religions du monde et structures séculières*: «Rev. Th. Louv» 12 (1981) 151-153.

L'Eglise qui pendant de longues années y a joui d'un monopole éthique et religieux doit pouvoir accepter d'autres conceptions morales et d'autres confessions, même non-chrétiennes.

Souvent, l'axiome « hors de l'Eglise, point de salut » (extra ecclesiam nulla salus) a engendré l'intolérance par rapport à la liberté religieuse. Il s'en est suivi un écrasement de l'homme.

Le choix en faveur de la communauté chrétienne, comme signe de salut universel, a été perçu comme un privilège. Nous avons paré l'institution écclésiale d'absolutisme, oubliant son identité référentielle au « Royaume ». Le pouvoir fut considéré comme signe et garantie de la protection divine. Les chrétiens se sont déclarés uniques détenteurs de la vérité et ont relégué les autres au rang de citoyens de seconde catégorie.

C'est ainsi que l'Eglise a pu être perçue comme un organisme imposant préceptes et obligations au lieu d'être vue comme manifestation et moyen de salut. Ainsi, la proclamation de l'universalité du christianisme a pu engendrer la destruction d'autres formes de vie ; elle a pu imposer, en marge ou contre la liberté de l'homme, des pensées, des structures et des organisations présentées comme le reflet terrestre d'un ordre divin immuable.

C'est pourquoi une tâche élémentaire s'impose : celle de transformer ou du moins de réinterpréter l'axiome « extra ecclesiam nulla salus » en concordance et au départ d'un autre principe christologique : « c'est seulement au nom du Christ que nous trouvons le salut définitif ». C'est le Christ qui est norme et référence pour l'Eglise et non l'inverse. La communauté ecclésiale n'est signe de salut, corps du Christ, que si elle est chrétienne, si elle vit et est animée de l'Esprit de Jésus.

b) Faiblesse des plus démunis

La préférence de Jésus pour les pauvres, pour ceux qui, socialement, « ne comptent pas » est un fait historique qui ne peut être sujet à manipulation. Il ne pouvait en être autrement du fait de son expérience du Dieu-Amour qui fait sienne la cause de l'homme et ne tolère pas que celui-ci soit marginalisé. Cette préférence s'avère également une condition imprescriptible pour une Eglise qui doit devenir proclamation historique du salut universel.

C'est dans cette perspective que la théologie de la libération latino-américaine peut avoir une valeur prophétique. Son point de départ réside en la compassion envers les pauvres et les exclus de ce monde. Son souci, son objectif est d'atteindre un christianisme servant efficacement la cause de Jésus: le Royaume de Dieu. Certes, ce mouvement théologique n'est pas exempt de limites, de tentations ni de dangers.

Mais il a mis en relief une caractéristique décisive du christianisme: la vraie solidarité, sans discriminations ni frontières. La solidarité qui pose la question «qu'en sera-t-il de l'autre» avant de s'interroger sur «ce qu'il en sera de moi».

La théologie de la libération a atteint cette solidarité en ouvrant l'Eglise au libre accès des pauvres, en permettant à ces derniers de circuler en son sein comme dans l'Evangile. Ce n'est que quand la communauté ecclésiale se montre sensible aux clameurs des pauvres qu'elle peut vivre la solidarité évangélique et peut donc être appelée chrétienne.

Quand, à la suite de Jésus de Nazareth, les chrétiens se rapprochent des pauvres, de ceux qui n'ont rien à donner en échange, la gratuité du salut pour tous s'en trouve vérifiée. L'Eglise alors devient symbole et prophétie de solidarité et de réconciliation universelle.

Le chrétien qui, en partant des pauvres, progresse dans un esprit de solidarité, ne peut plus permettre l'isolement qui sépare les Eglises. La désunion est un mal non voulu de Dieu.

Mais, à l'origine première de cette séparation se trouvent l'orgueil, les situations établies, l'absence de solidarité envers les démunis, les exclus, les isolés. Il est normal que surgissent des différences entre les diverse confessions chrétiennes. Bien que le manque d'unité dans la formulation de certains articles de foi, dans la liturgie ou en matière d'organisation ecclésiale puisse constituer un mal, il n'a que peu de conséquences négatives pour les hommes. La division s'avère par contre bien plus grave lorsque sont mises en jeu l'identité chrétienne et la pratique évangélique envers les oubliés de la société. Ceux-ci comptent, ils sont les préférés.

Sans écarter la nécessité du dialogue œcuménique au niveau de la liturgie et des formulations du dogme, le sens ultime du mouvement œcuménique reste son orientation en direction du dépassement de cette division fondamentale. Afin d'aboutir à l'unité des Eglises, il est urgent de rechercher leur vérité chrétienne qui implique l'amour préférentiel des pauvres[40].

Dans le dialogue avec le monde actuel et dès lors qu'il s'agit de réaliser historiquement l'universalité du salut dans le Christ, l'importance attribuée aux pauvres peut être de bon augure. Dans son inclination pour les déshérités, Jésus a manifesté les sentiments d'amour de Dieu. Il a témoigné de la gratuité de l'offre de salut faite par Dieu à tous les hommes.

C'est le facteur de gratuité qui fait défaut chez les peuples des pays sous-développés, de même qu'au sein des sociétés industrialisées où, avec d'autres mots, l'on recherche également la libération et le salut. Il n'y a pas d'espace pour la gratuité dans ces pays sous-développés où quelques uns perdent leur humanité dans l'égoïsme tandis que les majorités subissent une misère dégradante.

Ailleurs, là où les hommes veulent, grâce à leur technique, tout contrôler et ne point laisser de place à l'imprévu, à la nouveauté, au gratuit, ou en arrive à priver l'homme de son souffle.

L'homme des sociétés industrialisées, pressé d'être toujours plus que ce qu'il n'est, se retrouve frustré et insatisfait.

L'option préférentielle pour les pauvres est un objectif décisif pour que l'Eglise soit aujourd'hui le symbole crédible du salut universel.

c) Faire connaître le vrai Dieu

L'athéisme est un phénomène de notre temps. Mis à part ceux qui nient expressément Dieu, beaucoup laissent la foi sans contenu ou se contentent d'une foi abstraite. Il semble que l'affirmation de l'homme les intéresse davantage que la négation de Dieu. L'agnostique surgit aisément

---

(40) Cfr J. Sobrino, *Ressurección de la verdadera Iglesia, Los pobres, lugar teologico de la eclesiologia* (Santander 1981) 127-132; *Teologia de la solidaridad cristiana* (Managua 1983). Dans la même optique E. Ellacuria, *El problema del ecumenismo y la promoción de la justicia*: «Est. Ecl.» 55 (1980) 153-155; P. Hegba, *La promoción de la justicia como factor de unidad y división en la Iglesia Católica y entre las Iglesias en el Africa Negra*: «Est. Ecl.», 239-250. Voir aussi, J. Vanier, *Le pauvre, chemin d'unité*: «Nouv. Rev. Th.» 106 (1984) 17-22.

(41) Cfr. E. Ellacuria, *La Iglesia de los pobres, sacramento historico de liberación*: «ECA» 32 (1977) 707-722; A. Torres Queiruga, *Jesús, proletario absoluto*: in *Jesucristo en la historia...*, 316-323; J. Comblin, *El debate actual sobre la universalidad christiana*: «Concilium» 155 (1980) 248-257. Appel à la pauvreté comme critère de vérification de l'identité chrétienne in A. Gonzalez Montes, *Los pobres como sujeto histórico-salvifico*: «Salmanticensis» 31 (1984) 207-224; spécialement 211-214.

au sein d'une société qui après des années de chrétienté s'ouvre péniblement au pluralisme.

Les chrétiens ont pu avoir un rôle dans la genèse de l'athéisme « en voilant plutôt qu'ils ne l'ont révélé l'authentique visage de Dieu et de la religion » [42]. Nombreux sont ceux qui, baptisés devant l'Eglise, vivent selon un schéma religieux non-chrétien : ils dialoguent avec une divinité abstraite et insensible aux souffrances humaines. Ils n'ont pas vécu la nouveauté que contiennent la révélation et la divinité de Jésus.

Dans une société pluraliste, un christianisme convaincu s'avère nécessaire, un christianisme où l'expérience du vrai Dieu trouve toute son importance. Le Père avec qui Jésus dialogue n'est pas le contraire, mais bien l'affirmation et le futur absolu de l'homme. Là est la grande nouvelle, la proposition nouvelle et originale que l'Eglise peut apporter à notre monde.

2. Dans une pratique historique

a) L'« orthopraxie », prix de l'orthodoxie

Jésus proclame son message non pas tant par des paroles que par le geste et la pratique de vie. L'Eglise doit passer par là si elle se veut offre de salut. Les disciples ne restèrent pas en ce monde en tant que maîtres de grandes théories mais en tant que « témoins » (*Act.* 1,8).

L'imitation de Jésus et sa célébration liturgique, telles que les vécurent les premiers chrétiens, sont antérieures à et à la source des formulations dogmatiques.

Dans un monde saturé de propagande et de théories, l'« orthopraxie », le langage de l'Evangile, les gestes et la conduite honorables sont les seuls qui soient aptes à convaincre. Non seulement vis-à-vis de ceux qui n'ont aucun rapport avec l'Eglise mais aussi pour bien des baptisés, ces « chrétiens sociologiques » qui ne vivent pas la nouveauté du christianisme [43].

---

(42) Vat. II, GS 19.

(43) L'idée de J. B. Metz garde son actualité : *La fe en la historia...*, 62-95. En ce qui concerne la société espagnole cette pratique évangélique s'avère dès à présent urgente pour une évangélisation efficace : J. Espeja, *La Iglesia, memoria y profecia* (Salamanca 1983) 62-95.

b) Conversion au Royaume et tolérance

Si seul le Royaume est absolu et si, grâce à l'Esprit, il se manifeste également en dehors des murs de l'Eglise, il incombe aux Eglises de faire preuve d'un souci prioritaire et continu pour l'avènement de ce Royaume. Cette conversion doit se manifester par un comportement fait de recherche, de dialogue et de tolérance.

En suivant Jésus, les Eglises ne doivent pas avoir pour loi leur sécurité ou leur survie temporelle. Ni leur structure, ni leur organisation, ni même l'«orthodoxie», ne doivent occuper le premier rang de leurs préoccupations quand sonne l'heure d'annoncer l'universalité salvifique du Christ.

La partie visible de l'Eglise se doit d'être fonction de sa partie invisible : les formes historiques que revêt sa présence dans la société doivent être relativisées selon les changements d'époque et de situation (44).

La recherche du Royaume, qui a lieu également en dehors de l'Eglise, s'épanouit dans le dialogue et la tolérance. Le dialogue avec toux ceux qui œuvrent et tendent vers l'avènement du Royaume : la libération intégrale des hommes.

Il ne s'agit pas seulement de faire bon accueil à celle-ci ou de l'encourager mais bien de la promouvoir par une fonction critique ou défensive contre les forces du mal qui s'opposent à cet avènement, contre les forces qui paralysent ou laissent s'arrêter à mi-chemin les développements que l'Esprit suscite dans l'histoire.

Les médiations séculières, bien qu'autonomes dans leur mécanisme, ne le sont pas par rapport à leur origine ou leur finalité. C'est là que s'inscrit la possibilité d'une contribution des Eglises chrétiennes.

Nous parlons aussi de tolérance. Celle-ci n'est point permissivité ou désintérêt par rapport au cours de l'histoire. Elle est force agissante, expression du climat de la croix. De même que Jésus n'imposa rien, ce en quoi il se distinguait des puissants, les Eglises seront les témoins d'un salut universel en maintenant vivante la préférence — souvent douloureuse — pour la liberté de l'homme, face aux sanctions et aux cœrcitions.

Ce qui est universel dans la loi nouvelle ne se manifeste pas dans une capacité de prescription ou d'imposition mais dans l'aptitude à intégrer et à inquiéter.

---

(44)   Ainsi que l'a suggéré Vat. II, SC 2.

C'est déjà dans la manière d'apporter la bonne nouvelle que le respect et la tolérance sont signes d'une évangélisation véritable, alors que l'imposition et le pouvoir n'évoquent que le prosélytisme[45].

c) Communauté de pauvres

L'Eglise ne fera sienne la cause des pauvres que si les chrétiens font preuve d'une pauvreté intégrale par le partage total à l'image de Jésus de Nazareth. En considérant que les richesses appartiennent à tous, en se conformant à cette foi, ils ouvriront la voie au salut universel: pour les pauvres mis dans l'impossibilité de vivre et pour les puissants qui vivent dans l'égoïsme.

Cette pauvreté revêt un caractère particulier dans les pays qui, traditionnellement chrétiens comme l'Espagne, s'ouvrent au pluralisme.

La nouvelle organisation socio-politique et les divers courants idéologiques qui, déjà, ont le champ libre, impliquent pour les Eglises — en l'occurrence pour l'Eglise catholique — une nouvelle disposition à la pauvreté, une perte de monopole, y compris sur le plan éthique. Cela ne signifie pas que l'Eglise doive se retirer du débat public, mais qu'elle doive en respecter la sécularité et la laïcité.

Ce n'est que par une attitude de pauvreté que les chrétiens accepteront sans mauvaise humeur ni amertume, mais comme une chose normale, que bien des signes religieux disparaissent des actes officiels et qu'ils transmettront leur expérience à la société, ouvertement mais sans la prétention à être meilleurs.

Cette pauvreté intégrale est au cœur de la révélation biblique: «quand je suis faible, c'est alors que je suis fort» (*2 Co* 12,10). Si celle-ci devient pratique de vie pour les chrétiens, elle sera la bonne nouvelle du salut universel. Pour les marginaux de ce monde: ils doivent croire avec confiance que leur situation actuelle n'est pas l'ultime possibilité de Dieu.

Quant aux peuples plus développés, qu'ils sachent qu'en se fiant au pouvoir de l'homme et en dénaturant leur progrès, ils engendrent les armes de la mort et perdent l'espoir d'un avenir fraternel.

---

(45) Dans l'optique de Ch. Duquoc, *El cristianismo…*, 245-247; et G. Thils, *Theologie et monde pluraliste*: «Rev. Th. Louv.» 13 (1982) 338-344.

d) Dans la compassion et la gratuité

La nouveauté du christianisme et l'annonce du salut pour tout un monde inachevé témoignent de la bienveillance gratuite de Dieu. Jésus est le Fils, la Parole, le Témoin de la divinité véritable dans l'histoire humaine. Il nous a révélé la face de l'Invisible. C'est là que réside sa qualité de Sauveur universel.

Cette universalité se réalise dans la pratique des chrétiens si ceux-ci vivent et agissent selon les sentiments de Jésus : compassion, tendresse, gratuité sans discrimation, engagement à relever les déshérités et à offrir à tous la liberté.

C'est la nouvelle prophétique la plus urgente dans une société où tout, y compris la personne humaine, ne se voit valorisé que par la rentabilité et où l'homme en arrive à n'être qu'un rouage de plus au sein d'un système déshumanisant.

C'est parce que l'inversion des valeurs donne le ton dans notre société privée de buts éthiques que l'importance des Eglises chrétiennes sera le fruit de leur transparence en tant que témoins du Dieu qui s'est révélé en Jésus.

Cela suppose que l'on vive une mystique de l'avènement du Royaume qui relativisera toutes les certitudes économiques et juridiques. Orientées en ce sens, les Eglises chrétiennes assumeront de façon efficiente leur rôle public dans la société pluraliste.

V. EN GUISE DE CONCLUSION

1. L'universalité salvifique du Christ doit être comprise à partir du message qui imprègne tous ses actes et que la résurrection a confirmé.
2. Cette universalité peut être réalisée aujourd'hui au sein de l'Eglise, communauté qu'anime l'Esprit de Jésus. Cet Esprit signifie pratiquement un nouvel état d'esprit au sein des Eglises chrétiennes :
    — davantage de préoccupation et d'engagement dans le sens de l'avènement du Royaume ainsi qu'un moindre souci de maintenir et d'assurer sa sécurité.
    — plus de dégagement vis-à-vis du pouvoir et davantage d'audience pour les pauvres.
    — une communion plus étroite avec le vrai Dieu, Jésus de Nazareth.

3. Résumons brièvement notre exposé selon un ordre de présentation inversé : les signes des temps exigent aujourd'hui des Eglises qu'elles soient, au sens chrétien, plus contemplatives, qu'elles découvrent la présence de Dieu à toutes les époques et au sein de tous les événements historiques. Il convient que les Eglises soient davantage humaines et fassent preuve de sympathie, de dialogue et de solidarité envers toutes les aspirations profondes, tous les efforts que les hommes déploient honnêtement pour accéder à une société libre et fraternelle.

Qu'elles soient, enfin, plus pauvres et dévouées à la cause du « Royaume ». C'est par la voie de cette attitude évangélique des Eglises que Dieu continue à annoncer et à offrir le salut définitif pour tous les hommes, tel qu'il fut pleinement manifesté en Jésus Christ.

Jean-Louis LEUBA

(Neuchâtel)

EN MANIÈRE DE CONCLUSION

L'on m'a demandé de «conclure» la session. Il était peut-être audacieux de ma part d'accepter. En effet, les communications qui précèdent, sans être contradictoires, n'en sont pas moins assez diverses, de par les points de vue à partir desquels elles envisagent le thème formel de «l'universalité du salut».

Il ne sera pas inutile, pourtant, de tenter de situer les diverses approches du sujet les unes par rapport aux autres et de tâcher, si possible, de montrer la structure théologique fondamentale sous-jacente au thème lui-même.

Une telle tentative, on le comprendra, comporte une part de subjectivité. Plutôt qu'une «conclusion», elle se présente comme une proposition, comme une invitation à réfléchir plus avant sur les divers aspects — et sur leur ordonnance — de la réalité qu'impliquent les termes du sujet. C'est à cette condition seulement que la gageure que constituent ces quelques lignes «conclusives» peut être assumée.

L'on peut, je crois, subsumer les questions en jeu, telles qu'elles ont été présentées dans les exposés qui précèdent, sous les trois chefs principaux suivants:

1. Ce qu'est l'universalisme chrétien.
2. Le problème central qu'implique cet universalisme.
3. La perspective dans laquelle il est possible de chercher une solution.

1. CE QU'EST L'UNIVERSALISME CHRÉTIEN

A. Compréhension et précompréhension

Dès le moment où l'on tente de comprendre ce qu'est l'universalisme du salut selon la foi chrétienne, l'on se rend compte que cette compréhension présuppose une précompréhension de type formel, mais indispensable. En effet, la vérité chrétienne ou, pour le dire de manière plus précise, la Parole de Dieu, s'exprime dans les termes humains tels qu'ils existent, tels qu'ils sont simplement «là». Le fait qu'elle en modifie le sens n'infirme pas mais confirme que ces termes, au départ, sont indispensables.

En ce qui touche à notre sujet, les termes d'«universalité» et de «salut» ont une vaste précompréhension. L'«universalité» désigne une réalité qui s'applique à l'ensemble des hommes, à travers les temps et les lieux, et, par delà, à l'ensemble du cosmos. Le «salut« désigne l'insertion de l'homme dans cette universalité.

Du point de vue théologique, l'on considérera que les exposés de MM. Ladrière, Cornélis et Anawati fournissent des éléments de précompréhension, que l'on qualifiera tout aussi bien d'«existentiaux», c'est-à-dire d'éléments déterminant la structure anthropologique selon laquelle l'homme peut connaître.

M. Ladrière a montré ces éléments en se basant sur la réflexion philosophique. M. Cornélis a montré la forme sous laquelle ils se trouvent dans le bouddhisme. M. Anawati a fait de même pour l'Islam. Sous trois angles différents, mais analogues, l'on a pu constater l'affirmation qu'il y a une réalité première et dernière *une*, et que l'homme, par des moyens divers — réflexion philosophique, ascèse, méditation de Livres saints — est appelé à y retrouver sa propre origine et, par la même, sa destination éternelle.

B. Universalité et salut chrétiens

Tous les autres travaux — sur lesquels je reviendrai plus bas — montrent, en substance, comment la «compréhension» de la foi chrétienne (c'est-à-dire la manière dont la foi chrétienne se comprend elle-même) vient s'insérer dans ce qui, de son point de vue, fait figure de «précompréhension». A cet égard, et de manière encore générale, on distinguera les deux points principaux suivants.

1. L'universalité du salut selon la foi chrétienne n'est pas l'espèce d'un genre, qui serait le genre «universalité» et le genre «salut». Il s'agit en elle d'une universalité unique et spécifique. Ce sont l'universalité et le salut qui se trouvent dans l'histoire du salut et dont témoignent les documents de cette histoire. Or cette histoire est celle du peuple d'Israël qui s'accomplit de manière unique et définitive dans l'histoire du Christ. C'est dire que, par rapport à l'universalité de type philosophique ou généralement «religieux», l'universalisme chrétien fait figure, paradoxalement, de particularisme. Le peuple d'Israël est le seul peuple élu (Cf. Amos 3.2). Jésus de Nazareth est le Fils unique de Dieu (Jean 1.14). Mais ce particularisme a, constitutivement, une portée universelle. Toutes les familles de la terre seront bénies en Abraham (Genèse 12,3, Galates 3,8.). Le Christ est la lumière de toutes les nations (Luc 2,32). La justification qui donne la vie s'étend à tous les hommes (Romains 5.18).

Cette universalité chrétienne n'est autre que la catholicité, au sens plénier du terme, qui connote non seulement la destination du salut à tous les hommes, mais l'attachement à l'unique Seigneur et à son Corps unique, qui est l'Eglise.

Par rapport à l'universalité formelle et au salut formel présents dans la précompréhension des termes, l'universalité du salut signifie l'accomplissement plénier des réalités visées par ces termes. A la lumière de la compréhension, la précompréhension se révèle une nostalgie de la réalité divine révélée dans l'histoire du salut. *Cor inquietum donec requiescat in te!*

2. Il y a lieu de remarquer que l'universalité du salut, selon la foi chrétienne, ne signifie pas que l'histoire du salut devrait être complétée par d'autres histoires ultérieures. Telle quelle, elle est entièrement accomplie (Cf. Jean 19,30). A cet égard, on pourra l'appeler «histoire constituante» (dont on admettra schématiquement que la mort des apôtres est la fin). Ce qui se passe ensuite, c'est la répercussion, la représentation de cette histoire constituante dans l'histoire ultérieure, l'histoire constituante déterminant et éclairant ce qu'il y a de valide dans l'histoire ultérieure, que l'on pourra ainsi appeler «histoire constituée». Il n'y a donc pas d'évolution d'une histoire à l'autre, comme si la première se «coulait» dans la seconde. Il n'y a pas de «mondialisation» du salut indépendante du constant recours critique aux événements fondateurs de

l'universalité du salut et à leur «re-présentation» dans l'Eglise. D'où le recours constant — l'anamnèse — aux documents attestant les événements fondateurs de la foi chrétienne, événements qui contiennent à la fois des faits historiques et la signification de ces faits, ensemble complexe qu'il importe d'interpréter sans cesse à nouveau pour les re-présenter correctement. C'est ce que tous les conférenciers ont fait, lors de la session, s'attachant soit à l'Ecriture, soit aux interprétations données par leur propre tradition confessionnelle.

2. LE PROBLÈME CENTRAL QU'IMPLIQUE L'UNIVERSALISME CHRÉTIEN

C'est essentiellement ce problème qu'ont traité tous les travaux relevant de la théologie chrétienne. De manière obvie, il se pose très simplement comme suit: dès le moment où le salut, dont témoigne l'histoire d'Israël accomplie dans le Christ, a une portée constitutivement universelle, comment envisager le fait que tous les hommes n'y participent pas «automatiquement»? Comment, par rapport à l'universalisme chrétien, situer ce que la théologie traditionnelle appelle «le petit nombre des élus»?

Nos biblistes ont traité de la question sous l'angle de leur discipline. M. van Cangh a montré comment l'élection d'Israël constitue, si l'on peut dire, le point de cristallisation de l'universalisme du salut, sans exclure au reste le témoignage des textes, essentiellement sapientiaux, qui considère comme possible une révélation de Dieu dans la nature, rejoignant d'ailleurs la foi d'Israël. M. Reicke a rendu compte du caractère décisif de l'épiphanie du Christ, qui concentre en elle-même et porte à son maximum la conjonction paradoxale d'universalisme dans l'appel et de particularisme dans l'élection qui est propre au témoignage biblique dans son ensemble.

Sur une telle base, comment rendre compte du fait que tous les hommes n'ont pas la foi, ne répondent pas au dessein divin du salut universel?

L'Ecriture ne répond pas explicitement à la question. Mais elle pose les éléments de la réponse. C'est du fait de son péché que l'homme ne s'inscrit pas spontanément dans le dessein de Dieu. C'est dire que la proclamation des hauts-faits de Dieu dans l'histoire d'Israël et du Christ, constitue de manière permanente une invitation à la conversion et à la foi.

Qu'en est-il alors de l'opposition apparente entre le salut universel proclamé et la possibilité sans cesse renaissante que l'homme passe à côté de ce salut, soit qu'il ne le connaisse pas, soit que, l'ayant connu, il l'ait refusé? Comment articuler ces éléments apparemment contradictoires? C'est à quoi s'est toujours appliquée la réflexion théologique des diverses confessions chrétiennes, telles qu'en ont rendu compte MM. Melia (orthodoxe), Schnurr (protestant), Hall (anglican) Espeja et Walgrave (catholiques).

Si l'on passe en revue l'ensemble de ces réponses, on constatera une convergence fondamentale pour refuser trois positions:

a) *L'origénisme* (tel, du moins, qu'il résulte de l'interprétation qu'on a donnée ultérieurement d'Origène), selon lequel, quoi qu'il arrive, la totalité des hommes, du cosmos et même des anges tombés, sera assumée dans le salut final («apocatastase»). Raison du refus: l'indifférentisme qui résulterait d'une telle position quant à la décision de la foi et de ses conséquences éthiques.

b) *Le pélagianisme*, selon lequel l'homme serait prétendûment libre d'accepter ou de refuser le salut offert. Raison du refus: la participation au salut dépendrait décisivement de la volonté humaine. Il n'émanerait du salut aucune puissance capable de vaincre et de convaincre les cœurs.

c) *La double prédestination* (un décret absolu de Dieu, considéré soit comme antérieur («supralapsaire») soit comme postérieur («infralapsaire») à la chute), selon laquelle Dieu, soit de toute éternité, soit après la chute aurait destiné chaque homme soit à participer au salut, soit à en être exclu. Raison du refus: il y a un abus manifeste à induire du fait que certains hommes ne croient pas, l'autre fait que Dieu n'a pas pu vouloir qu'ils croient. Quelle que soit la réponse de l'homme à l'offre de Dieu, cette offre demeure perpétuellement valide, et la volonté salvatrice de Dieu demeure immuable.

A y regarder de près, les trois positions, si différentes, si opposées même soient-elles apparemment, se situent sur une même base. Et c'est cette base qu'il y a lieu de refuser, comme l'ont fait, plus ou moins explicitement, les divers exposés théologiques de nos conférenciers.

Elle consiste, cette base unique, en ceci que l'on considère le salut de Dieu comme une réalité immobile, statique, chosale, qui, dès lors, ou bien écrase l'homme — soit qu'elle puisse le vouer à la perdition éternelle, comme l'affirme la double prédestination, soit qu'elle le contraigne au salut, comme c'est le cas dans l'origénisme — ou bien n'a aucun pouvoir décisif sur l'homme, comme dans le pélagianisme.

Or, une telle base n'a aucun appui dans le témoignage biblique. Le salut et l'homme ne sont pas des données statiques, chacune fermée sur elle-même, se faisant face comme deux blocs de réalités. Ce sont des données dynamiques, dont la synergie ne peut être systématisée par avance, mais constitue chaque fois un événement qu'il n'est pas possible de prévoir *a priori*, mais qu'on ne peut que constater *a posteriori*.

C'est en ce sens que, d'une manière remarquablement convergente, se sont exprimés nos théologiens. Tous ont parlé en termes de mouvement, d'ouverture, tranchons le terme, d'eschatologie, finale ou constamment présente, ce qui *sub specie aeternitatis* revient exactement au même.

C'est, chez M. Melia, la dialectique du «déjà» et du «pas encore», de l'anamnèse et de l'anticipation qui rend compte simultanément de la plénitude eschatologique et de la nécessité de la mission.

C'est, chez M. Schnurr, l'espérance — mais non le système clos! — d'une universalité finale acceptée de tous.

C'est, chez M. Hall, l'aboutissement à une requête centrale, bien dans la ligne d'ouverture de ses collègues: que l'Eglise intensifie sa vocation d'intercession pour tous les hommes, afin que Dieu leur fasse miséricorde.

Quant à MM. Espeja et Walgrave, le premier insiste sur les conséquences proches, dans l'histoire actuelle, du salut offert aux hommes et qui appelle à des actions sociales concrètes. Le second centre en substance son propos sur une perspective universaliste, mais qu'il convient, avec saint Maxime le Confesseur, d'«honorer dans le silence».

On le constate: aucun de nos collègues n'admet, massivement, l'apocatastase. Mais aucun non plus n'affirme une réalité «objective» selon laquelle certains hommes seraient exclus du salut et seraient, soit anéantis à jamais, soit la proie de peines les torturant dans un au-delà éternel, mais infernal.

Touchant le problème posé par l'universalité chrétienne et la réalité du jugement, notre session aurait-elle abouti à une fin de non-recevoir? Il s'en faut, et c'est ce que je voudrais signaler pour terminer.

3. LA PERSPECTIVE DANS LAQUELLE IL EST POSSIBLE DE CHERCHER UNE SOLUTION

Les dimensions restreintes d'une simple «conclusion» ne permettent pas, bien évidemment, de tracer ici autre chose qu'une piste de recherche. Aussi bien, l'ampleur de la question mériterait-elle à elle seule un véritable traité.

Comment rendre compte simultanément des deux affirmations contradictoires, plus ou moins explicitement présentes dans les conférences théologiques qui précèdent : l'universalité du salut, d'une part, l'impossibilité d'affirmer l'apocatastase comme une thèse doctrinale fondamentale, d'autre part ?

Un premier point doit être dégagé : il consiste à rechercher plus avant le postulat sur la base duquel les affirmations sont, en effet, contradictoires.

Ce postulat, c'est le fait de les considérer comme des déclarations objectives, comme des théories, comme des assertions absolues exprimant une réalité indépendante de celui qui la connaît et qui tente d'en rendre compte par son langage. A ce niveau-là, dans ce contexte de pensée-là, les deux affirmations «Le salut universel» et «Il est possible que tous les hommes n'y aient point part» constituent une contradiction fondamentale, l'affrontement de deux absolus entre lesquels aucune médiation n'est possible.

Les choses prennent une tout autre tournure si l'on s'avise de situer la question non plus dans le domaine des réalités objectives, impliquant une connaissance de type objectif, mais dans celui des réalités non point certes subjectives, mais «existentielles», impliquant une connaissance de type «existentiel».

Disons-le très concrètement. Si l'on pose la question : «Y a-t-il une perdition éternelle, un enfer où les damnés sont châtiés pour l'éternité?», on ne peut, face à l'affirmation biblique de l'universalité du salut et à l'affirmation, également biblique, de la possibilité de la perdition éternelle, répondre à une telle question, ni par oui, ni par non. Et cela parce que l'on se place dans un espace de type théorique, qui prétend aller jusqu'au mystère même de Dieu.

Mais si l'on dit : «Face à la déclaration de salut que Dieu me fait dans sa Parole, je ne puis faire autrement que de confesser que, si je n'accepte pas cette déclaration avec joie et gratitude, je m'exclus du salut», l'assertion devient parfaitement intelligible. Elle ne porte pas sur la reconnaissance prétendue d'un état de fait vis-à-vis duquel je me comporterais en spectateur non engagé, mais elle porte sur une interpellation vis-à-vis de laquelle je me sens responsable. En d'autres termes, l'engagement personnel vis-à-vis du message biblique affirmant l'universalité du salut fait partie des conditions d'intelligibilité de ce salut. En d'autres termes encore, le salut n'est pas une «chose» dont il s'agirait de prendre possession comme d'un objet vis-à-vis duquel on conserverait son autonomie propre, mais un appel — un kérygme — dont le caractère propre est d'inclure en lui-même son destinataire, de modifier sa capacité de connaître, d'intégrer sa volonté dans son intelligence. Et la perdition, elle non plus, n'est pas une «chose», ni un lieu, mais un vocable signifiant le refus d'une décision divine dont on a reconnu par ailleurs la puissance souveraine et salvatrice. Car c'est seulement par rapport à cette reconnaissance que la perdition a une signification.

On ne se demandera donc pas: «N'y a-t-il que peu de gens qui soient sauvés?», mais l'on s'interrogera sur la manière dont on répond à l'impératif: «Efforcez-vous d'entrer par la porte étroite» (Cf. Luc 13,23). C'est dire qu'en remettant pour les autres hommes le jugement dernier à la toute-sagesse et à la toute-miséricorde de Dieu, sans prétendre entrer dans son mystérieux conseil, l'on ne se préoccupera que d'éviter pour soi-même la perdition dont on aura reconnu la possibilité et — plus encore! — que de se laisser avec joie et gratitude saisir par le salut.

Les païens, les incroyants, les apostats seront-ils sauvés? Aucun homme, aucune Eglise et, conséquemment, aucune théologie ne peut le dire. Mais là n'est pas la question. La question, c'est: «*Je* ne puis être sauvé que si je réponds à l'appel que j'ai reçu. Mais alors, si j'y réponds, je suis certain d'être sauvé. Et si je n'y réponds pas, je sais que je serai perdu». Si *je* suis le seul à être impliqué dans cette affaire, c'est que je suis le seul à pouvoir endosser une reponsabilité.

Une notion qu'il n'est pas inutile d'introduire ici, c'est celle du «rendez-vous» de Dieu. Dieu a donné rendez-vous aux hommes dans le Christ, accomplissement de l'histoire d'Israël. Cela ne signifie en aucune manière qu'il ne puisse, si cela lui plaît, rencontrer des hommes ailleurs et autrement, indépendamment de ce rendez-vous. Mais, quand on a été soi-même invité au rendez-vous, quand on a enregistré le lieu et la date de ce rendez-vous (l'endroit où sa Parole est annoncée et où est offerte la communion à son Corps), comment pourrait-on s'autoriser de rencontres éventuelles, mystérieuses, incertaines, aléatoires, pour négliger le rendez-vous clairement révélé sans risquer de manquer la rencontre, puisqu'on aurait négligé de s'y rendre là où elle vous a été promise par un Dieu qui, s'il est libre, est aussi fidèle ?

Voilà, me semble-t-il, à quoi a abouti, pour l'essentiel, la session madrilène de notre Académie internationale des sciences religieuses.

Respect du mystère salvateur du Dieu libre, qui peut sauver qui il veut, indépendamment de l'économie manifestée de son salut. Dès lors, refus de se prononcer sur le salut, ou la perdition, de ceux qui, ou bien n'ont jamais connu l'Evangile, ou bien, l'ayant connu (mais d'ailleurs qui pourrait juger s'ils l'ont réellement reçu ?) l'ont rejeté.

Mais aussi : gratitude pour l'œuvre salvatrice du Dieu fidèle, lorsqu'elle est manifestée existentiellement dans l'homme ainsi appelé à croire et à saisir le salut gratuitement donné, en s'engageant par là aux conséquences éthiques de ce salut. Dès lors, crainte salutaire de manquer le rendez-vous divinement donné, de saisir la promesse divinement faite.

Il ne s'agit donc pas de cette abstraction que l'on désigne par ce terme : les hommes, ni d'un salut ou d'une perdition théoriques. Il s'agit de nous, de chacun de nous, et de notre tout.

Quoi d'étonnant si quiconque a été rencontré par Dieu souhaite en témoigner ? Ce n'est pas qu'il entende sauver les autres, puisque Dieu seul le peut. Mais c'est simplement qu'il ne peut s'empêcher de dire où et comment Dieu l'a sauvé lui.

Quoi d'étonnant, à l'inverse, si le trop fameux « déclin de la foi » (lequel est une notion purement statistique et sociologique) n'a aucune espèce d'incidence sur la certitude de la foi ?

Quoi d'étonnant si le croyant, réservant pour lui la crainte du châtiment éternel, se refuse à loger quiconque dans les enfers, pas plus d'ailleurs qu'à l'assurer de son salut ?

En un mot : si la pensée objectivante est la source empoisonnée des sécurités et des jugements illusoires, la pensée existentielle est la fontaine de vie d'où jaillissent tout ensemble les exigences pour soi et l'espérance pour les autres.

TABLE DES MATIÈRES

Imprimé à la CIACO
Av. Einstein, 9 - 1348 Louvain-la-Neuve
(Belgique)